Le Diamant de

Votre Diamant de Naissance

****

Remerciements

Un chaleureux merci à Marguerite Bennasar Ballester et Marie-Christine Jackson
A Denise, Georges, Marie, Denis, Corinne, Elodie, Nathalie, Hélène, Carole et
Marie-Hélène
A Nadine Kaiser et à Gilles Guyon
Et à la Fondation « Art de Vivre » qui œuvre pour permettre à l'Humanité sur
Terre de retrouver sourire, bien-être, joie et évolution spirituelle
Un chaleureux merci aux amies et amis qui m'ont aidé
À vérifier la pertinence et cet outil de connaissance de soi
Sans eux cet outil n'existerait pas.

© 2011 – 2019 Eric Jackson Perrin
www.coaching-evolution.net

Edité par Eric Jackson Perrin
69300 Caluire et Cuire

Imprimé en Allemagne par BoD – Books en Demand

ISBN 979-10-94871-00-3
Version Décembre 2018

Livres du même auteur

Les mystères de l'astrologie Maya dévoilés 2013
Le Yi King Pratique 2014
Editions Quintessence
****
Le Tarot Eternel et Le Tarot Eternel 2
Les runes germaniques sacrées et magiques
Le Diamant de Naissance
Le cahier pratique du Diamant de Naissance
Le manuel Professionnel du Diamant de Naissance 1 et 2
Cinq outils extraordinaires de connaissance de soi
Les outils et techniques de développement personnel pour thérapeutes et particuliers
****

Série astrologie
Les bases pratiques de l'astrologie
Les planètes, les signes, les secteurs
Maitriser l'analyse et l'interprétation du thème astrologique
Les planètes en signes/Les planètes en secteurs
Les aspects à la Lune et à Vénus
Les aspects au Soleil et à Mars
Les aspects Mercure, Jupiter, Saturne et Uranus
Les bases de l'astrologie karmique
Le cahier pratique sur comment interpréter un thème astral
****

Série Sonothérapie
Diapasons, Kinésiologie et Acupuncture Traditionnelle Chinoise
Les diapasons thérapeutiques
Passion bols avec Alain Métraux

****
Ami enfant des étoiles. Un conte d'Enrique Barrios.
****

Nouveau ! Depuis Août 2017 : Logiciel Diamant de Naissance…
Disponible ici ! http://www.jacques-boit.fr/diamant-de-naissance/

Table des matières

Introduction : Qu'est ce que le Diamant de Naissance.

C'est un outil numérologique de connaissance de soi et un outil de coaching. Les 22 premiers nombres habitent 24 espaces intérieurs nommés maisons et chaque nombre est associé à une série de mots clefs. C'est une carte de votre âme qui révèle la structure de votre Etre et votre plan d'évolution. Il met en lumière 24 facettes de votre être. Il vous montre, sous un certain angle symbolique, votre structure, votre "plan d'âme", votre potentiel, vos fonctionnements, vos ressources, vos difficultés, vos solutions et votre chemin d'évolution. C'est un trousseau de clefs qui ouvrent les portes de vos espaces intérieurs et qui vous permet de voir comment chaque espace intérieur est créateur d'une partie de votre vie. C'est votre village intérieur personnel, avec vingt quatre maisons, qu'il est possible d'habiter pleinement. Le DN ou "thème astronumérologique" est un outil de développement personnel qui a pour objectif de vous aider à être la meilleure version de vous-même, ce qui est le but suprême de tout Etre Humain.

Le Diamant de Naissance vous apporte des points de repères, une conscience de soi, une meilleure acceptation de vous-même et d'autrui, un plus grand amour de soi, du bon sens et des clefs pour prendre des décisions. En tant qu'être spirituel crée par la vie, par « La Source de toute Vie», vous êtes un être merveilleux, un Diamant brut qui ne demande qu'à rayonner à travers toutes ses facettes. Quand chaque facette est vécue puis exprimée en pleine conscience, sous sa meilleure forme, puis intégrée à soi, votre "Diamant", c'est à dire votre "corps spirituel", brille. Vous donnez alors le meilleur de vous-même et vous réussissez votre vie!

Il permet par exemple d'avoir une vision synthétique de votre identité et de vos besoins, de vos ressources et de vos défis, de vos contradictions et de vos solutions, mais aussi d'où vous venez et où vous allez. Il vous permet d'effectuer des prises de conscience, des liens entre votre intérieur et ce que vous vivez, de mettre en lumière les objectifs de votre âme, de faire des choix et de poser des actions pour traduire vos objectifs en réalisations. Cela débouche sur des transformations dans votre vie. Il est accessible à toute personne responsable qui souhaite mieux se connaitre.

Il puise sa source dans les différentes traditions Judéo-chrétiennes et islamiques, qui proviennent elles-mêmes d'Inde et de Chine. Il est également issu de différents courants de pensée anglais, américains, canadiens et français. Il est une synthèse entre une structure basée sur l'astrologie maya et l'astrologie occidentale, un fonctionnement basé sur la numérologie et une présentation visuelle basée sur la tarologie. Il associe les 12 maisons astrologiques et 12 maisons numérologiques. Il permet ainsi de présenter un thème astral de façon numérologique, en utilisant les images symboliques du Tarot, appelées « cartes » ou « nombres », pour donner vie aux nombres. Tout comme un thème astral, il est l'une des façons de voir la structure de l'âme, mais d'une façon plus spécifique et plus ciblée qu'un thème astral. Le « Diamant de Naissance » a été inventé par Eric Jackson Perrin, expert en numérologie et en astrologie, au printemps 2011 puis il a été perfectionné jusqu'en fin 2012. Le jeu de Tarot utilisé ici est «Le Tarot Universel de Monsieur Bruno de Nys», disponible aux Editions « Bruno de Nys». Il peut être représenté d'une façon classique ou astrologique.

Représentation visuelle traditionnelle du Diamant de Naissance.

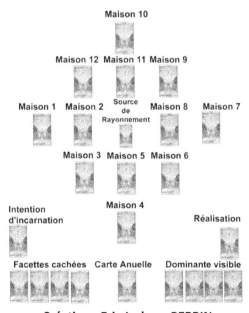

Création : Eric Jackson PERRIN

Diamant de Naissance - Représentation Astrologique

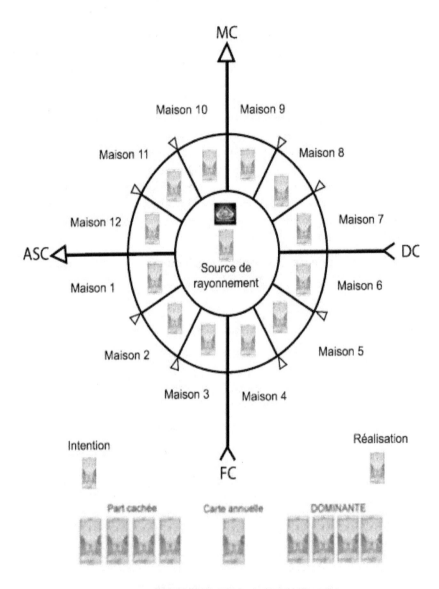

Création : Eric Jackson Perrin

Diamant de Naissance - Représentation Classique

Date de naissance :　　　　　　　Prénom :　　　Nom :

Maison 10

Maison 12　Maison 11　Maison 9

Maison 1　Maison 2　　SR　Maison 8　Maison 7

Maison 3　Maison 5　Maison 6

Maison 4

Intention

Réalisation

Ressource
Annuelle

Appel
de
l'âme

Ress
Cachée

Défi
Caché

Contra
diction

Tempé
rament

Motivation

Expression
Ress
Clef

Les 24 maisons du Diamant de Naissance

Le Diamant de Naissance comporte 2 parties : le cœur du Diamant au centre et sa base en bas.

Le cœur du Diamant : Les maisons ou secteurs de vie.

Il est constitué par 13 espaces intérieurs nommés « maisons » ou « secteurs de vie ». Les mots maisons et secteurs proviennent de la terminologie astrologique et sont interchangeables. Les 12 premiers espaces correspondent aux 12 maisons astrologiques. Il y a ensuite un espace au centre du Diamant nommé « la Source de Rayonnement ». La disposition et la signification des « secteurs de vie » ou des « maisons » du Diamant sont donc les mêmes que ceux d'un thème astrologique.

Maison 1 ou Ascendant : L'état d'esprit dans lequel on est venu expérimenter sa vie, la façon de s'exprimer, de s'affirmer et de démarrer des activités dans le monde, son arme et sa force de frappe, l'apparence, l'image que l'on donne, le masque que l'on adopte pour exercer « un ascendant » sur le monde.

Maison 2 : L'incarnation, la richesse et la ressource majeure, la façon de gérer la matière, la relation au plaisir, au corps et à l'argent.

Maison 3 : La façon de penser, d'apprendre, de communiquer, de s'adapter à son environnement et de mettre les choses en forme et en mouvement dans la vie concrète. L'intelligence fraternelle et commerçante.

Maison 4 ou « Fond du Ciel » : Les origines, les racines, l'héritage parental et familial, l'enfance et ses conditionnements, l'inconscient, le foyer, les lieux et expériences de ressourcement et de bien-être, où l'on est naturel et spontané et enfin ce que l'on porte au fond de soi.

Maison 5 : L'être éternel, les repères personnels, la conscience de soi, le pouvoir créateur permettant d'exprimer son identité profonde, l'envie de réussir, l'expression du cœur, les créations, l'amour.

Maison 6 : L'intelligence technique, là où vous êtes doué pour répéter afin de développer une expertise pour servir la vie, l'adaptation au monde matériel, le service, l'hygiène, la santé, la recherche du bien-être et les difficultés répétitives générées par la tendance à être "dans le mental".

Maison 7 ou Descendant : La façon d'entrer en relation avec autrui, l'autre, le couple, les associations ou les rivalités, la face opposée mais complémentaire de soi, l'antipode, le défi majeur, la rencontre avec le non moi (source d'adversité que l'on doit transformer en allié).

Maison 8 : Ce qui est occulté, les crises et les transformations, la recherche d'initiation, notre vérité profonde, la part d'ombre que l'on cherche à ramener à la lumière, la part féminine inconsciente, le trésor caché que l'on a en soi, l'expérience des révélations, la sexualité, passer de la crise à l'expression de votre passion.

Maison 9 : Trouver sa place dans la société, l'adaptation à l'espace, l'élargissement des horizons, les études supérieures, les grands voyages du corps et de l'esprit, la négociation et les affaires.

Maison 10 ou milieu du Ciel : L'ambition, l'organisation de sa destinée, la voie du milieu pour se réaliser, la relation aux structures, la carrière, les grandes réalisations, la direction générale à suivre, la leçon de vie majeure, le cheminement et la maturation vers sa vérité profonde.

Maison 11 : Exprimer votre intelligence et votre spécificité, vous adapter au monde moderne, expérimenter les groupes et réseaux, l'évolution psychologique, les amis, les appuis, les bénéfices et profits, les solutions obligatoires pour vous libérer, la libération intérieure, la liberté.

Maison 12 : La souffrance et la transcendance, l'évolution spirituelle, la source de notre foi, les mémoires d'âme et les mémoires généalogiques, les épreuves et les expériences mystiques, la fin de l'histoire et ce qu'on laisse derrière soi.

La Base du Diamant :

Elle est la fondation qui porte le Diamant de Naissance. Cette base est constituée à gauche de vos facettes initialement cachées, c'est-à-dire inconscientes, jusqu'à ce qu'elles soient révélées. Ces facettes cachées sont l'intention d'incarnation, l'appel de l'âme, la ressource cachée, le défi caché et la contradiction. En bas à droite, il y a votre dominante visible, c'est-à-dire les comportements, schémas et ressources auxquelles vous faîtes toujours appel consciemment, que vous avez toujours à votre disposition dans votre vie et qui sont porteuses de sens pour faire ce que vous êtes venu faire sur Terre. Votre dominante visible est constituée par votre tempérament, votre motivation, votre ressource clef et votre nombre d'expression.

Au centre de la base, il y a la situation ici et maintenant, votre carte annuelle, qui est une ressource annuelle dominante. Cette carte décrit l'énergie dominante durant votre année. Tout ceci est expliqué en détail dans un chapitre ultérieur. Le nombre de réalisation de soi, parfois appelé nombre axial en numérologie synthétise le Diamant de Naissance.

Le Diamant de Naissance comme outil de coaching

Le coaching est un processus qui consiste à définir les objectifs permettant une réalisation de soi dans tous les domaines de la vie, puis à trouver les ressources nécessaires et enfin à passer à l'action pour atteindre concrètement la destination choisie. Il permet avec le temps d'incarner le meilleur de soi-même

Pour utiliser le Diamant comme outil de coaching, vous pouvez lire le texte qui décrit la signification et la finalité de chaque maison et d'un nombre, représenté par une image, présent dans une maison, puis observer que chaque maison avec son nombre qui l'habite est une partie de vous, une maison dans votre village intérieur. Il est ensuite nécessaire de prendre conscience de votre façon concrète d'exprimer ce nombre en maison afin d'expérimenter des « déclics ». Vous pouvez ensuite répondre aux questions suivantes :

Quels sont vos objectifs dans la vie, ceux que vous avez atteints et ceux que vous aimeriez atteindre ? Choisissez-en un. Comment vivez-vous actuellement la partie du Diamant sur laquelle vous avez choisi de focaliser ? Qu'est ce qui vous correspond vraiment, un peu et pas du tout ?

Exprimez-vous pleinement le potentiel décrit dans Le nombre en maison ? Quelles sont vos prises de conscience par rapport à votre compréhension de l'acarne en maison et par rapport à l'objectif que vous avez choisi ? Quelle est votre prise de conscience principale ? Par rapport à votre objectif et à votre prise de conscience principale, quelle(s) action(s) concrète(s) souhaitez-vous mettre en place ? D'ici quel délai souhaitez-vous mettre en place cette action ou ces actions ? Quand souhaitez-vous faire un point avec vous-même, ou avec un Coach, pour valider votre ou vos actions et passer à l'étape suivante, ou pour gérer une difficulté rencontrée lors de la mise en place de votre ou de vos actions ? Ce processus vous aide à valoriser vos talents et à avancer dans votre vie.

Chapitre 1: Calcul et montage du DN manuellement.

Il suffit de savoir additionner et soustraire pour calculer le Diamant de Naissance. Vous pouvez imprimer ou utiliser la matrice page 9 ou en télécharger une depuis l'adresse internet ci-dessous.

http://www.coaching-evolution.net/FICHIERS/DN-MV-REPCLASIQUE.pdf

Vous pouvez acquérir sur mon site un logiciel qui permet de calculer automatiquement le DN puis de l'imprimer (20 €).

Le calcul du DN est basé sur un cycle de 22. Cela signifie que pour les nombres de 1 à 22, vous gardez les nombres tels qu'ils sont, puis que **vous additionnez les nombres à partir de 23**. 23 devient alors 2+3=5. 55 devient alors 5+5=10. Le nombre zéro correspond au nombre 22 donc si vous obtenez le nombre zéro suite à une soustraction, vous notez 22. La lettre M signifie « maison ». Il est nécessaire de respecter l'ordre des 24 étapes pour calculer et monter le DN. La fiche technique quelques pages plus loin vous permet d'avoir une vision globale.

ETAPE 1 : Maison 1 ou Ascendant : Calcul du nombre en maison 1 : Il correspond au jour de naissance réduit à un nombre égal ou inférieur à 22. Une personne née le 25 a le nombre 7 en maison 1. Notez le nombre du jour de naissance dans le carré en dessous du titre Maison 1 dans le schéma de la page 9, que vous avez imprimé.

Pour les personnes nées entre minuit et le lever du Soleil : De nombreuses civilisations considèrent que le jour commence au moment où le Soleil se lève au dessus de l'horizon et non à minuit. En ce qui concerne le Diamant de Naissance, l'expérimentation montre que lorsque l'on retire une journée à la date de naissance dans le cas des personnes nées avant le lever du Soleil, le Diamant devient aussi très parlant. A vous d'expérimenter !

ETAPE 2 : Maison 8 : Calcul du nombre en maison 8 : Le nombre en maison 8 correspond au mois de naissance. Placez le nombre du mois de naissance dans le carré en dessous du titre Maison 8.

ETAPE 3 : Maison 9 : Calcul du nombre en maison 9: Le nombre en maison 9 correspond à l'année de naissance. Il se calcule en additionnant les 4 nombres qui composent le nombre de l'année. **Exemple :** 2011 = 2+0+1+1=4. Placez le mois de naissance dans le carré en dessous du titre Maison 9.

ETAPE 4 : Maison 10 ou chemin de vie : Calcul du nombre en maison 10: Le nombre en maison 10 correspond au total du jour, du mois et de l'année de naissance. Il se calcule en additionnant tous les nombres de la date de naissance. **Exemple :** 28/12/1963 = 2+8+1+2+1+9+6+3=32=5. Placez le nombre de la date de naissance dans le carré sous le titre Maison 10.

ETAPE 5 : Maison 2 : Calcul du nombre en maison 2 : Il s'obtient avec le jour et le mois. Il correspond à l'addition du nombre en maison 1 et du nombre en maison 8. M2=M1+M8. Notez le nombre de la maison 2 dans le carré en dessous du titre Maison 2.

ETAPE 6 : Maison 3 : Calcul du nombre en maison 3 : Il s'obtient avec le mois et l'année. Il correspond à l'addition du nombre en maison 8 et du nombre en maison 9. M3=M8+M9. Placez le nombre de la maison 3 dans le carré en dessous du titre Maison 3.

ETAPE 7 : Maison 7 : Calcul du nombre en maison 7: Il s'obtient avec le mois et l'année. Il s'obtient par la soustraction du nombre en maison 9 du nombre en maison 8 ou l'inverse. On soustrait le nombre le moins élevé du nombre le plus élevé. M7=M9-M8 ou M9-M8. Placez le nombre de la maison 7 dans le carré en dessous du titre Maison 7.

ETAPE 8 : Maison 5 : Calcul du nombre en maison 5 : Il correspond à l'addition du nombre en maison 2 et du nombre en maison 7. M5=M2+M7. Placez le nombre de la maison 5 dans le carré en dessous du titre Maison 5.

ETAPE 9 : Maison 6 : Calcul du nombre en maison 6 : Il s'obtient par la soustraction du nombre en maison 5 du nombre 22. M6=22-M5. La valeur la moins élevée est soustraite de la valeur la plus élevée. Placez le nombre de la maison 6 dans le carré en dessous du titre Maison 6.

ETAPE 10 : Maison 4 : Calcul du nombre en maison 4 : Il s'obtient par l'addition des nombres des maisons 6,7 et 9. M4=M6+M7+M9. Placez le nombre de la maison 4 dans le carré en dessous du titre Maison 4.

ETAPE 11 : Maison 11 : Calcul du nombre en maison 11: Il s'obtient par l'addition des nombres des maisons 1, 8 ,9 et 10. M11=M1+M8+M9+M10. Placez le nombre de la maison 11 dans le carré sous le titre Maison 11.

ETAPE 12 : Maison 12 : Calcul du nombre en maison 12: Il s'obtient par l'addition des nombres des maisons 2, 8 et 10. M12=M2+M8+M10. Placez le nombre de la maison 12 dans le carré en dessous du titre Maison 12.

ETAPE 13 : Source de rayonnement : Calcul du nombre en SR : Il s'obtient par l'addition des nombres des maisons 2 et 10. SR=M2+M10. Placez le nombre de la SR dans le carré en dessous du titre Source de rayonnement.

ETAPE 14 : Intention d'incarnation : Calcul du nombre d'intention d'incarnation : Il s'obtient par l'addition des nombres des maisons 8, 9 et 10. IA=M8+M9+M10. Placez le nombre d'intention d'incarnation dans le carré en dessous du titre Intention d'incarnation, en bas à gauche du Diamant.

ETAPE 15 : Appel de l'âme : Calcul du nombre d'appel de l'âme : Il s'obtient par l'addition des voyelles du prénom et du nom à l'aide du tableau ci dessous. Vous pouvez soit prendre votre nom de naissance, soit le nom que vous portez actuellement. Placez le nombre de l'appel de l'âme dans le carré au dessus du titre Appel de l'âme, en bas à gauche du Diamant.

1	2	3	4	5	6	7	8	9
A	B	C	D	E	F	G	H	I
J	K	L	M	N	O	P	Q	R
S	T	U	V	W	X	Y	Z	

Exemple : John Wayne = 6+1+7+5=19 (Le Soleil).

ETAPE 16 : Ressource cachée = somme des deux derniers nombres de votre année de naissance. Placez le nombre de ressource cachée dans le carré au dessus du titre Ressource. **Exemple :** 1998 = 9+8=17.

ETAPE 17 : Défi caché : Calcul du nombre de défi caché : Il s'obtient par la soustraction de la valeur numérique des nombres en maison 1 et en maison 9. La valeur la moins élevée est soustraite de la valeur la plus élevée. Défi caché=M1-M9 ou M9-M1. Placez le nombre de défi caché dans le carré au dessus du titre Défi caché, en bas à gauche du Diamant.

ETAPE 18 : Contradiction : Calcul du nombre de contradiction : Il s'obtient par l'addition des nombres des maisons 6 et 7. Contradiction=M6+M7. Placez le nombre de contradiction dans le carré au dessus du titre contradiction.

ETAPE 19 : Carte annuelle : Calcul du nombre de la carte annuelle : Il s'obtient par l'addition de la maison 2 et de l'année numérologique universelle.

L'année numérologique universelle est celle qui débute le jour de votre anniversaire de l'année en cours. Si nous sommes en 2017, l'année universelle est 2+0+1+7=1.

Exemple : Une personne née le 5 décembre, ou 05/12, a dans son Diamant de naissance le nombre 17 en maison 2 (5+12=17). Son nombre annuel pour l'année 2016 (2+0+1+6=9) sera donc le nombre 8. (17+9=26=8). Ce nombre s'exprimera entre le 5 décembre 2016 et le 5 décembre 2017. Entre le 5 décembre 2015 et le 5 décembre 2016, le nombre annuel sera le nombre 7. Placez le nombre annuel dans le carré en dessous du titre Année, en bas au centre.

ETAPE 20 : Tempérament : Calcul du nombre de tempérament : Il s'obtient par l'addition des nombres des maisons 2 et 3, en sachant que la maison 2 est la somme des nombres en maison 1 et 8, et la maison 3 est la somme des nombres en maison 8 et 9. Tempérament = M2+M3.

ETAPE 21 : Motivation profonde: Calcul du nombre de motivation profonde : Il correspond à l'addition du nombre en Maison 1, du nombre en Maison 5 et du nombre en Maison 8. Motivation = M1+M5+M8. Placez le nombre de motivation profonde au dessus du titre Motivation, en bas à droite de la base du Diamant.

ETAPE 22 : Ressource clef = M2+M10+M11. Placez le nombre de ressource clef dans le carré au dessus du titre Ressource clef.

ETAPE 23 : Nombre d'expression : Il s'obtient en convertissant chaque lettre du nom et prénom en nombre puis en faisant le total à l'aide du tableau ci-dessus. Expression = voyelles + consonnes du prénom et nom. Placez le nombre d'expression au dessus du titre Expression.

ETAPE 24 : Nombre de Réalisation de Soi ou Axe de Vie : Calcul de l'axe de Vie : Il s'obtient par l'addition du nombre d'expression et de la maison 10. C'est la somme du prénom, du nom de famille et de la date de naissance convertie en valeur numérique. Axe de Vie = Nombre d'expression + chemin de vie (ou Maison 10). Placez le nombre de l'axe de Vie au dessus du titre Axe de Vie. Si vous voulez vous exercez, il y a en annexe 2 des Diamants de Naissance de célébrités.

Quand vous avez placé les 24 nombres dans les 24 maisons, il est nécessaire d'apprendre à connaitre la signification symbolique des nombres.

FICHE TECHNIQUE - MONTAGE DU DIAMANT DE NAISSANCE

DIAMANT

MAISON 1 : Jour.

MAISON 8 : Mois

MAISON 9 : Année. (1968 = 1+9+6+8=24 et 2+4=6)

MAISON 10 : JOUR+MOIS+ANNEE.

MAISON 2 : M 1 + M 8   MAISON 3 : M 8 + M 9.

MAISON 7 : M 8 – M 9 MAISON 5 : M 2 + M 7

MAISON 6 : 22 – M 5

MAISON 4 : M 6 + M 7+ M 9

MAISON 11 : M 1 + M 8 + M 9 + M 10.

MAISON 12 : M 2 + M 8 + M 10

CENTRE DU DIAMANT : Source de Rayonnement : M 2 + M10.

BASE DU DIAMANT

Facettes cachées :

- Intention d'incarnation : M8+M9+M10

Besoin profond caché ou appel de l'âme: Somme des voyelles du nom et prénom.

Défi caché : M 1- M 9 ou l'inverse

Ressource cachée : Somme des 2 derniers nombres de l'année de naissance

Contradiction : M6+M7 (base 1-9 et équivalent 10-22)

Carte annuelle : M 2 + année numérologique qui démarre le jour d'anniversaire.

Dominante Visible:

- Tempérament : M 1+ M 8 + M 8 + M 9.

Nombre de Motivation : M 1 + M 5 + M8.

Ressource clef : M 2 + M 10 + M 11

Nombre d'expression : Nom + prénom en numérique.

- Nombre de réalisation : Nombre d'expression + (M 10) en numérique.

1	2	3	4	5	6	7	8	9
A	B	C	D	E	F	G	H	I
J	K	L	M	N	O	P	Q	R
S	T	U	V	W	X	Y	Z	

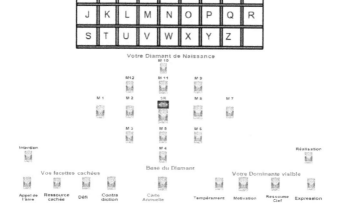

Votre Diamant de Naissance

Base du Diamant

Vos facettes cachées

Votre Dominante visible

Chapitre 2 : La signification symbolique des 22 nombres.

Vous pouvez considérer les nombres en tant que tels, simplement comme des nombres. Dans la tradition européenne de connaissance de soi, ils ont été personnifiés sous la forme d'archétypes, c'est-à-dire de symboles auxquels on a donné des noms. Ces symboles correspondent aux cartes du tarot de Marseille nommé « nombres », mot qui signifie « enseignements secrets ». Vous trouverez dans les livres « Le TAROT ETERNEL 1 et 2 », que j'ai écrit, une description approfondie de la symbolique des nombres personnifiés par les nombres dites majeurs. Vous trouverez ici simplement les questions que posent chaque nombre ou vous et un résumé des forces et des faiblesses de chaque nombre. Il y a à côté de chaque nombre le nom de l'image qui peut le symboliser. Le nom symbolique du nombre 1 est par exemple le Bateleur ou le Magicien.

Explication sur les pictogrammes : L'être humain s'adapte à la réalité à travers cinq sens ou canaux de perception, la vue, l'ouïe, le toucher, l'odorat et le gout. Une majorité de personnes (environs 70% de la population) utilise cependant la vue pour s'adapter. Elles sont avant tout sensibles aux images. Elles ont besoin d'images et d'imaginer pour comprendre et s'adapter à la réalité. Les symboles visuels à la fin de chaque texte sur les nombres peuvent aider à ressentir l'énergie du nombre.

Nombre 1 - LE BATELEUR OU LE MAGICIEN

Les questions du Bateleur en vous : Comment utiliser mon pouvoir créateur pour être Magicien ou Magicienne ? Quels sont mes objectifs, mes intentions et mes motivations ? Qu'est ce que j'ai entre les mains et pour aller où ? Quel est le monde auquel j'aspire aujourd'hui ? Qu'ai-je envie de faire apparaitre dans ma réalité ? Quels sont les moyens/outils/ressources dont je dispose pour cela? Suis-je compétent(e)?

Les faiblesses du nombre en vous : J'ai des difficultés à démarrer, à me motiver, à agir, à faire preuve de courage, à avoir l'énergie nécessaire, à gérer mon énergie, à savoir comment faire, à exprimer mon enfant intérieur, à être une personne joyeuse et enthousiaste, à trouver les bons outils ou à les utiliser. Il y a de l'impatience, des illusions et de l'inexpérience.

Les forces du nombre en vous : J'agis avec énergie, confiance et efficacité pour atteindre mes objectifs. J'exprime mon pouvoir créateur et mon enfant intérieur, dans l'instant présent, pour démarrer des choses nouvelles et m'affirmer dans la vie, avec intelligence, enthousiasme, joie et les bons outils.

Pictogrammes liés au nombre 1 :

Nombre 2 - LA PAPESSE OU LA GRANDE PRETRESSE

Les questions de la Papesse en vous : Qu'est ce que je ressens ? Quels sont mes souvenirs, mes croyances et mes écrans ? Qu'y a-t-il dans mon inconscient et dans les profondeurs de mon âme? Quel moule dois-je fabriquer ou quelles informations dois-je trouver ou voir pour faire accoucher la situation ? De quoi dois-je accoucher ? Quel est mon système d'information, mon système de croyance ? Reflète t'il la réalité ou la déforme t'elle et si oui comment ?

Les faiblesses du nombre en vous : J'ai des difficultés à avoir la foi, à exprimer mes émotions et mon imagination, à m'affirmer, à accoucher de moi-même, à faire naître les choses, à voir dans l'invisible, à ne pas dissimuler les choses, à trouver les bonnes clefs et à me libérer de secrets de famille. Il y a une problématique à la Grand-Mère ou à la mère. Il y a un secret de famille.

Les forces du nombre en vous : Je vois dans l'invisible, j'attends, je fais naître, je trouve et donne les clefs de la connaissance du corps et de l'âme et les bonnes informations, j'initie, j'approfondis, je dévoile, je révèle, je cache. Je prépare ce qui dot l'être. Je m'occupe de la gestion administrative. Je suis capable de faire appel à la force de la foi, de la réflexion et de l'imagination. Je prends soin de la vie.

Pictogrammes :

Nombre 3 - L'IMPERATRICE

Les questions de l'Impératrice en vous : Comment ai-je envie de m'adapter ? De quoi ai-je besoin pour m'adapter ? De quoi ai-je envie de prendre soin ? Qu'ai-je envie de communiquer et d'exprimer ? Que dois-je comprendre ? Que dois-je entendre ? Que dois-je faire pour gérer efficacement la situation ?

Les faiblesses du nombre en vous : J'ai des difficultés à apprendre, à comprendre, à me sentir écouter, à communiquer, à faire des études, à dire la vérité, à m'organiser efficacement, à mettre les choses en forme et à m'adapter. Il y a une problématique à la féminité, à la mère, une parole qui est enfermée, une confusion mentale et une légèreté excessive.

Les forces du nombre en vous : Je synchronise mes pensées, mes ressentis, mes paroles et mes actions. Je m'exprime avec autorité, intelligence relationnelle et élégance. Je communique. Je m'adapte intelligemment. Je mets en forme. J'organise et je gère mon environnement.

Pictogrammes :

Nombre 4 - L'EMPEREUR

Les questions de l'Empereur en vous : Comment faire pour prendre ma place, pour être légitime, pour construire, pour bâtir mon empire ou pour participer à un empire existant ? Que faire pour protéger mon empire ? Quelles sont les règles présentes dans la situation ? Comment organiser, gérer et maîtriser la situation ? Qu'est ce qui doit-être mis en ordre ? A qui ou quoi est ce que je donne mon pouvoir ?

Les faiblesses du nombre en vous : J'ai des difficultés à avoir confiance en moi, à prendre ma place, à accepter l'autorité, à exprimer mon autorité, à se sentir légitime, à accepter les règles du système et à bâtir mon empire. Il y a une rigidité, de l'inertie, un enfermement, de l'autoritarisme, du désordre, une attitude matérialiste, un abus d'autorité, de la violence, une problématique de territoire et une difficulté en rapport avec le père.

Les forces du nombre en vous : J'exprime mon autorité, mon sens de l'organisation et mon pouvoir pour prendre ma place, bâtir mon empire ou pour contribuer à l'empire de quelqu'un d'autre. Je structure, concrétise, cadre, réalise, autorise ou interdis. Il y a une force de travail, de la rigueur, une stabilité, une légitimité et une puissante confiance en soi.

Pictogramme :

Nombre 5 - LE GRAND PRETRE OU LE PAPE

Les questions du Grand-Prêtre en vous : Quelle est le sens de la situation ? Quelles sont les leçons à tirer de ce qui se passe ? Quel conseil ai-je besoin de donner ou de recevoir? De quoi ai-je vraiment besoin pour être protégé(e) et pour me sentir béni(e)? Qu'est ce qui me guide ? Quelle est ma philosophie de vie ? Qu'y a-t-il dans mon cœur ?

Les faiblesses du nombre en vous : J'ai des difficultés à donner du sens, à comprendre comment organiser ma vie, à avoir la foi, à accepter le système éducatif, à trouver, intégrer et restituer des formations, à bien me former, à me sentir protéger et béni(e) par la vie. Dogmatisme, intolérance, inflexibilité, abus de pouvoir, fanatisme, mauvais conseils, moralisme, prosélytisme et manque de bienveillance.

Les forces du nombre en vous : J'apprends à maitriser un système d'informations et les lois spirituelles. Je trouve, j'intègre et je restitue les bons enseignements et la foi. Je donne du sens. Je bénis. Je donne à chacun la permission de réussir. Je protège, rassure, officialise, unis et conseille, avec bonté, bienveillance mais aussi expertise, autorité et force spirituelle.

Pictogramme :

Nombre 6 - L'AMOUREUX/LES AMOUREUX

Les questions de l'Amoureux en vous : Comment faire le bon choix ? Quel est le bon choix ? Quel désir conscient ou inconscient influence mon choix ? Qu'est ce qui m'apporte réellement du plaisir, de la joie et du bonheur ? Qu'est ce que j'aime et qu'est ce que je n'aime pas et pourquoi ? Qu'est ce qui nourrit mon envie de vivre et mon désir d'être heureux(se) ? Comment concilier les contraires ? Dans quel état est ma joie ? Suis-je une personne joyeuse et heureuse ? Comment créer mon bonheur ?

Les faiblesses du nombre en vous : J'ai des difficultés à être centré(e) en moi parce que je me centre sur l'autre, à écouter mes propres désirs, à faire les bons choix, à exprimer mon sens artistique, à m'engager dans une relation et à vivre en harmonie avec autrui. Il y a de l'hésitation, une immaturité, une fusion pathologique, une dépendance affective, un côté « fashion victim » et un excès de naïveté.

Les forces du nombre en vous : J'écoute mes vrais désirs et ceux des autres pour faire les bons choix. J'exprime mon intelligence relationnelle, mon charme et mon sens artistique pour servir, pour créer de la beauté, de la joie et de l'harmonie. Je choisis, j'entre en relation, je m'engage et j'aime. Je m'investis avec succès et harmonie dans une relation de couple.

Pictogrammes :

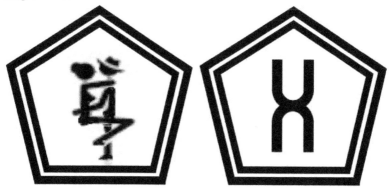

Nombre 7 - LE CHARIOT

Les questions du Chariot en vous : Quel est mon objectif ? Est ce qu'il dépend de moi ? Qu'est ce que cela va m'apporter de l'atteindre ? Comment saurai-je que j'ai atteint mon objectif ? Qu'est ce qui m'empêche d'atteindre mon objectif ? Quels sont les inconvénients et les avantages à atteindre mon objectif ? Comment faire pour l'atteindre ? Quelle est ma mission? De quel véhicule et de quelles ressources ai-je besoin pour atteindre mon objectif ? Ou dois-je aller ? Avec quelle organisation, quelle stratégie et quel plan de bataille ? De quelle victoire ai-je besoin ? Qu'est ce qui me motive, me stimule et me fait avancer ? Quel est mon moteur ? Quelle est ma victoire ? Comment puis-je au mieux diriger ma vie ?

Les faiblesses du nombre en vous : J'ai des difficultés à me poser, à m'intérioriser, à me fixer des objectifs, à trouver la bonne stratégie, à me motiver, à trouver ma route, à maîtriser ma trajectoire, à exprimer mon pouvoir personnel et à exercer le pouvoir, à entreprendre, à obtenir la victoire et à réussir. Blocages fonctionnels, manque d'assurance, obstacles, pannes ou impulsivité, impatience et excès de vitesse.

Les forces du nombre en vous : Je m'intériorise, fais un bilan, puis me fixe des objectifs. Je me sens disposé à agir, prêt et capable. J'effectue les démarches nécessaires et mets en place les moyens, les ressources, la stratégie et l'organisation pour réussir. J'exprime mon esprit d'entreprise, je me déplace et je gère des projets. Je prends les rennes de la situation et de ma vie en main.

Pictogrammes :

Nombre 8 - LA JUSTICE

Les questions de la Justice en vous : Qu'est ce que je suis en train de juger et selon quelles lois ? Qu'est ce qui est vrai pour moi ? Quelle est ma vérité ? Suis-je en règle? Comment faire pour être en règle ? Pourquoi est ce que cela se produit ? Quelle est la loi qui est en cause ? Que dois-je rééquilibrer et quelles sont mes dettes karmiques ? Comment trouver l'équilibre ? Qu'est ce que je dois trancher ? Qu'est ce qui est juste pour moi ? Quel rôle est-ce que je joue au sein de la civilisation ? Comment est ce que ma vie sociale contribue à la fluidité de la vie ?

Les faiblesses du nombre en vous : J'ai des difficultés à trouver ma place au sein de la civilisation, à faire preuve d'ordre, de justesse, de vérité et d'équilibre, à voir ce qui est juste où à accepter l'ordre et les structures. Il y a une blessure d'injustice, de la partialité, une tendance à la victimisation, un déséquilibre, un côté procédurier, de la froideur, de la dureté, une tendance à vivre dans l'illégalité et parfois un karma difficile.

Les forces du nombre en vous : Je prends conscience de l'ordre du monde et du principe d'équilibre. Je génère de l'ordre, de l'art, de la vérité, de la justesse, de l'harmonie, des associations, des contrats et de la légitimité afin de participer à la civilisation. J'évalue, je pèse, je tranche et j'ajuste. Je me discipline. J'agis dans la légalité. Je fais preuve de rigueur. J'organise avec rigueur et précision afin de vivre en harmonie avec qui je suis vraiment.

Pictogrammes :

Nombre 9 - L'HERMITE

Les questions de l'Hermite en vous : Ces questions sont les questions essentielles et existentielles. D'où est-ce que je viens? Qui suis-je? Ou vais-je et que dois-je faire pour y aller? Pourquoi? Quand ? Ou ? Qu'est ce que cela signifie? Est-ce que c'est réellement vrai quand je regarde les choses en profondeur? Quelle est ma vérité profonde et qui suis-je sans cette vérité ? Que reste-t-il quand j'ai retiré une chose après une autre ? Que puis-je construire et réaliser ? Comment puis-je trouver la paix intérieure ?

Les faiblesses du nombre en vous : J'ai des difficultés à m'intérioriser, à être en silence, à m'isoler de l'extérieur, à être seul(e), à prendre du recul, à être simple, à être à l'heure, à m'organiser, à construire, à voir la vérité, à être honnête, à me respecter, à cheminer, à évoluer vers la sérénité et à faire preuve de sagesse. Il y a de la tristesse, de la timidité, une tendance à l'isolement, de l'austérité, de la sévérité, une tendance à l'ascétisme, une lenteur excessive, une tendance à l'entêtement, de la rigidité, de la lourdeur et un côté plombé.

Les forces du nombre en vous : Je fixe des objectifs à long terme, m'intériorise, m'isole, observe, médite, cherche et questionne. J'exprime ma force de travail, construis et je gère des chantiers. Je chemine vers ma vérité profonde, j'évolue vers la sérénité, je deviens sage puis je guide et éclaire. Il y a de la profondeur, un facteur temps, une capacité à gérer le temps, un sens de la vérité et une solitude joyeuse.

Pictogrammes :

Nombre 10 - LA ROUE DE FORTUNE

Les questions de la Roue de fortune en vous : Quels sont mes schémas répétitifs et comment en sortir ? Quel événement à changé ma vie et pourquoi? Qu'est ce qui m'élève et qu'est ce qui me fait descendre ? Comment faire tourner la roue dans le bon sens ? Comment cela fonctionne t'il ? Quelle est la cause de ce que se produit ici maintenant ? Quel changement est ce que je souhaite apporter à ma vie ? Qu'est ce qui change et qu'est ce qui demeure ? Que faire pour m'adapter en utilisant mon intelligence technique ? Comment puis-je servir la vie ?

Les faiblesses du nombre en vous : J'ai des difficultés à sortir de mes schémas répétitifs, à comprendre comment fonctionne la vie et les lois de l'abondance, à me mettre en mouvement, à arrêter de toujours réfléchir, à m'adapter, à servir, à être pratique et à faire tourner la roue du destin dans le bon sens. Il y a des blocages, quelque chose qui ne tourne pas rond et parfois un karma difficile.

Les forces du nombre en vous : J'utilise mon intelligence technique, pratique et organisationnelle, mon sens des nombres et ma compréhension des cycles pour tenter ma chance, prendre ma vie en mains, sortir des schémas répétitifs, redémarrer autrement, innover et m'adapter intelligemment. Il y a une compréhension des lois de la destinée et une capacité à faire tourner la roue de la vie.

Pictogrammes :

Nombre 11 - LA FORCE OU LE LION DOMPTE

Les questions de la Force en vous : Quelle est ma vision de ce qui est ? Qu'est ce que j'aime ? Qu'est ce que j'honore ? Qu'est ce qui me fait vibrer ? Quelles sont mes forces et mes faiblesses ? Qu'est ce qui nourrit ma force ? Quels sont mes désirs les plus puissants ? Qu'est ce qui me passionne ? Quel est mon adversaire ? Que dois-je vaincre et à quoi dois-je me confronter? Qu'est ce qui doit être dompté et maîtrisé ? Comment exprimer le meilleur de moi-même et réussir ? Comment puis-je incarner et exprimer la force de l'amour ? Quelle est la signification symbolique de ce qui se passe ? Quels actes symboliques puis-je effectuer ?

Les faiblesses du nombre en vous : J'ai des difficultés à me centrer, à être dans le cœur, à m'aimer, à être présent dans mon corps, à avoir une vision claire, à gérer ma force, mon agressivité et ma violence, à me fixer des objectifs, à exprimer ma puissance, à être autonome et à réussir. Il y a des rapports de force, de l'orgueil, de la vantardise et parfois de la cruauté.

Les forces du nombre en vous : Je focalise mon attention sur ma vision et ma conscience. Je me centre dans mon corps et dans mon cœur et me connecte à « La Source de toute Vie ». Je me recherche la clarté, me fixe des objectifs puis exprime la force de l'amour, ma volonté, ma confiance en moi et ma puissance créatrice. Je me discipline afin de maîtriser mon être et ma vie, d'être autonome, de réussir et de guérir. Je deviens la meilleure version de moi-même et le roi ou la reine de mon royaume intérieur.

Pictogrammes :

Nombre 12 - LE PENDU

Les questions du Pendu en vous : A quoi ou à qui suis-je accroché ? Par quelle force ou courant suis-je entrainé(e) ? Qu'est ce qui limite ma liberté ? Que suis-je en train d'attendre ? Quelle mémoire généalogique dois-je transformer ? Quel sens donner à la situation ? Que dois-je lâcher ? Quelle croyance ou perception dois-je inverser ? Que dois-je sacrifier au profit de quoi ? Comment dénouer la situation ? De quoi je souffre et qu'est ce que me fait souffrir ? Comment passer de la souffrance à la paix, à la joie, à l'enchantement et à la béatitude ? Quelles sont mes rêves et mes aspirations profondes ? Comment trouver Dieu ? Comment faire pour me connecter à « La Source de toute Vie »?

Les faiblesses du nombre en vous : J'ai des difficultés à me libérer de problèmes et fantômes généalogiques, à prendre en compte les réalités spirituelles, à accepter les gens et les situations comme ils sont, à méditer, à lâcher prise et à sortir du chaos, de l'errance, de la passivité, de l'immobilisme, d'une peur de la trahison, de la victimisation, de la maladie et de la souffrance. Il y a une tendance à la fuite ou aux addictions. Il y a un côté plaintif, autiste, léthargique, replié sur soi et une tendance à la fuite ou à la dépression. Il y a des blocages et des nœuds à dénouer.

Les forces du nombre en vous : J'inverse mes points de vue et mes croyances, m'ouvre aux réalités spirituelles et à l'amour inconditionnel, accepte ce qui est, lâche prise, donne du sens, communie avec les gens et avec la vie, soulage les souffrances et les misères du monde, me libère des mémoires généalogiques et des mémoires de vies passées en rendant avec amour et respect à mes ancêtres ce qui leur appartient afin de vivre ma propre vie. Je pardonne, transcende, enchante les êtres et les lieux et soigne par la prière, la puissance de la foi, la spiritualité et l'amour Christique.

Pictogrammes :

Nombre 13 - L'NOMBRE SANS NOM

Les questions du nombre sans nom en vous : Qu'est ce que je ne suis-pas et qui-suis-je ou quoi suis-je vraiment ? Qu'est ce qui en moi est en sommeil, oublié et comme mort ? Quel est mon problème ? Que dois-je transformer ? A quoi quoi-je mettre un terme ? Qui ou quoi dois-je abandonner et oublier et au profit de qui ou de quoi? Comment ça se termine ? Qu'est ce que la mort ? Qu'y a-t-il de l'autre côté ? Comment mourir en conscience dans la joie et accéder à la vie éternelle ? Qu'est ce qui ne change jamais ? Que ferai-je quand je serai dans l'au-delà ? Comment gérer ma capacité à voir les énergies subtiles et l'invisible ?

Les faiblesses du nombre en vous : J'ai des difficultés à survivre, à sortir de l'ignorance, de l'ombre, de ma tombe, de la misère, du désespoir et de la douleur, à franchir le vide, à voir derrière les apparences, à être lucide, à couper avec le passé, à m'incarner, à me sentir en sécurité, à avoir confiance en la vie, à cesser de me dévaloriser et me saboter voire à faire le mort, à me régénérer et à me transformer pour vivre ma nature éternelle et ma vérité profonde. Il y a des angoisses, un problème d'identité ou de code génétique. Il y a une difficulté en lien avec l'au-delà et des personnes décédées.

Les forces du nombre en vous : Je plonge dans le vide, dans le noir, dans le vide, en profondeur pour y voir clairement les énergies invisibles et subtiles puis pour accéder à mon essence, à l'essentiel et à l'éternité en moi. Je prends conscience de mon identité éternelle, de ma véritable identité et de la vie l'au-delà. Je deviens lucide et authentique. J'apprends à me transformer, à couper avec le passé, à terminer ou détruire ce qui doit l'être, à partir, à mourir en conscience puis à renaitre, à me reconstruire et à me régénérer. Je résoud des difficultés et travaille sur les structures.

Pictogrammes :

Nombre 14 - LA TEMPERANCE OU L'ANGE

Les questions de l'Ange en vous : Quels excès doivent être tempérés? Où dois-je apporter de l'harmonie, de l'espoir et trouver des solutions ? Que puis-je guérir ou améliorer dans ma vie ? Qu'ai-je besoin ou envie de demander à mon « Ange-Gardien » ? Ou ai-je besoin d'aide et où puis-je aider ? Qui sont mes ami(e)s ?

Les faiblesses du nombre en vous : J'ai des difficultés à me connecter à l'univers, à être fluide et en harmonie, à utiliser mon intelligence psychologique ou technologique, à utiliser les technologies modernes, à travailler en groupe ou en réseau, à trouver des solutions, à avoir de l'espoir, à progresser, à devenir autonome et indépendant(e), à sortir de l'hypothétique et du virtuel, à créer des liens d'amitié, à m'incarner dans la vie, à m'adapter au monde moderne, à mobiliser mon énergie, à avoir des objectifs, à me libérer, à vivre libre, à aider les autres et à être un ange.

Les forces du nombre en vous : Je me connecte à la « Source » et j'utilise mon intuition, ma logique, mon sens de la communication, ma sincérité, ma pureté de cœur, mon sens de la tempérance, mes valeurs humaines, mon intelligence psychologique et technologique pour travailler en réseau, en groupe, pour trouver des solutions, pour apporter de l'espoir, pour aider et guérir, pour générer du progrès, de l'indépendance, de la liberté, de la sérénité et une grande réussite.

Pictogrammes :

Nombre 15 - LE DIABLE

Les questions du Diable en vous : Ou y a-t-il un loup, un problème ? ? Qu'est ce qui cloche ? Comment je fais pour me saboter ou pour saboter ma vie et comment je peux changer cela ? Qu'est ce qui m'angoisse ? Qu'est ce qui me rend misérable ? De quoi ai-je peur et que puis-je faire pour surmonter cela? De quoi suis-je esclave ou à quoi suis-je enchainé(e) ? Qu'est ce qui me passionne ? A qui ou à quoi suis-je lié(e) et comment ? Quels sont mes moyens de pression ? Comment contrôler la situation ? Comment gagner de l'argent ? Que dois-je amener à la lumière ? Quelles sont les parties de moi qui manquent d'amour et qui doivent être reconnues ? Que dois-je transformer en moi ?

Les faiblesses du nombre en vous : J'ai des difficultés à sortir de l'ignorance, de l'ombre, de la peur, des liens de dépendance, de la manipulation, de l'illégitime, de ma misère, du rejet, de la trahison, de la perversité, de la jalousie, de la possessivité, de l'obsession, de l'esclavage, du désespoir ou des situations compliquées, à voir derrière les apparences, à être lucide, à me sentir en sécurité, à avoir confiance en la vie, à cesser de me dévaloriser et me saboter, à me transformer, à exprimer mon pouvoir personnel, ma sexualité et ce qui me passionne, à gagner de l'argent et à maîtriser le monde de la matière.

Les forces du nombre en vous : Lucide, passionné(e), audacieux(se) et intrépide, je vois clairement dans le noir, sais révéler à chacun sa problématique tout en maniant le suspens et l'émotion. Je suis relié(e) à mes instincts, à mon flair et à mes pulsions. Je séduis, je manœuvre, j'envoûte et je domine avec une intelligence redoutable, en ayant peur de rien. J'exprime mon besoin de gagner de l'argent, de vivre ma sexualité harmonieusement et mon pouvoir personnel, en le mettant au service de la vie avec humilité afin de maîtriser le monde de la matière. Je forge le métal et la vie.

Pictogrammes :

Nombre 16 - LA MAISON-DIEU OU LA TOUR FOUDROYEE

Les questions de la Maison Dieu en vous : A quoi suis-je connecté(e) ? Qu'est ce qui me structure ? Quelles structures doivent être transformées ? Quels sont les langages que je maîtrise ? Dans quoi suis-je enfermé(e) ? Qu'est ce qui me choque ou me fait exploser? Quelle est la solution ? De quoi dois-je me libérer ? Comment vivre l'expérience de Dieu ? Que puis-je faire pour favoriser la croissance de mon âme pour accéder à la paix intérieure? Comment me connecter à « La Source de toute vie, faire l'expérience de l'illumination et trouver Dieu ? Quelle prise de conscience dois-je effectuer ?

Les faiblesses du nombre en vous : J'ai des difficultés à me poser les questions existentielles, à me connecter à ma nature divine, à être une personne consciente, à m'intérioriser pour trouver Dieu, à m'exprimer, à libérer ma parole et mon magnétisme, à respirer, à sortir de mes enfermements, à me relever après un choc ou une chute, à exploser et à me libérer, à utiliser mon intelligence psychologique et technologique, à m'adapter au monde moderne et à la nouveauté, à m'intégrer dans un groupe ou à travailler en réseau et à évoluer en harmonie avec les lois de l'univers. Il y a des catastrophes, des chocs émotionnels, de la violence, un aveuglement, des comportements imprévisibles ou excessifs et parfois une folie des grandeurs.

Les forces du nombre en vous : Je m'intériorise et m'enferme dans ma tour pour effectuer des prises de conscience, pour plonger dans le vide, pour devenir la conscience de la conscience et pour trouver la lumière de Dieu, en réduisant le mental au silence puis je me connecte à la « Source de toute Vie » et j'explose de béatitude en un choc salutaire pour bouleverser, déconstruire et reconstruire, reconnecter, libérer et guérir ce qui doit l'être, pour générer une illumination, une expérience spirituelle et une vision nouvelle. J'utilise mon intelligence des structures mais aussi mon intelligence psychologique et technologique pour maîtriser des langages, pour libérer « la Parole » et pour m'adapter au monde moderne

Pictogrammes :

Nombre 17 - L'ETOILE OU L'ETOILE DE VENUS

Les questions de l'Etoile en vous : De quoi ai-je besoin pour être bien dans mon corps ? Que puis-je donner à la vie et aux autres ? Est-ce que je vois la beauté en moi-même, chez autrui et dans la nature ? Que puis-je faire pour rendre le monde meilleur et enchanter les lieux et les êtres? Qu'ai-je à pardonner ? Comment créer mon bonheur sur Terre ? Qu'est ce qui me remplit de joie ? Qu'est ce qui me donne de l'espoir ? Qu'est ce qui m'inspire ? Quelle partie de moi dois-je reconnecter à la vie et à la joie? Quelles sont mes ressources et comment bien les gérer ? Quelle est ma meilleure forme d'expression possible ? Comment puis-je concrétiser cette meilleure forme de moi-même ? Quel est mon meilleur futur possible ? Que puis-je faire concrètement pour créer l'abondance dans chaque domaine de ma vie ?

Les faiblesses du nombre en vous : J'ai des difficultés à me relever après avoir été mis(e) à genoux, à me relier à la source de toute vie et de toute joie, à m'incarner, à voir au-delà des formes, à ne pas abuser des plaisirs terrestres, à sortir de mes illusions, de ma naïveté, d'un état de paresse, de sensiblerie et d'hyperémotivité, de mon incohérence et de ma stupidité, à me fixer des objectifs, à mobiliser mon énergie pour obtenir des résultats, à faire preuve de courage, à m'adapter aux changements et à l'inconnu et à faire de ma vie une œuvre d'art.

Les forces du nombre en vous : Je me relie à la source de la joie, à l'Eternel féminin, à l'amour inconditionnel, aux fées, à la vérité des choses, à la Terre-Mère, à la nature et aux étoiles. Je m'incarne, exprime ma sensualité et mon intuition, mon intelligence relationnelle et ma capacité à produire des formes. Je génère la beauté, la joie, l'harmonie, la paix du cœur, l'abondance, la grâce et la vie. J'apporte de la joie, du bonheur, de l'espoir, de l'inspiration, de l'enchantement et de l'amour spirituel dans le cœur des êtres.

Pictogramme :

Nombre 18 - LA LUNE

Les questions de la Lune en vous : Qu'est ce que je ressens ? Quelle est l'influence précise de mon inconscient (du passé et des mémoires) sur la situation présente ? Qu'est ce qui me fait peur ? Pourquoi ai-je si souvent peur ? De quoi ai-je besoin pour me ressourcer et me sentir bien ? Quelle partie de mon passé dois-je nettoyer ? Qu'est ce qui me nourrit vraiment ? Quelle porte dois-je franchir afin d'accéder à un nouveau monde ? Qu'est ce qui me fait rêver ? Quels sont mes rêves et que faire pour les réaliser ?

Les faiblesses du nombre en vous : J'ai des difficultés à sortir de la nuit et de mes angoisses, d'un état d'inconscience, de dépendance émotionnelle, d'incohérence et de désordre, d'illusions et d'hallucinations, de dénis et de mensonges, à gérer mes peurs et à exprimer mes émotions, à ne pas étouffer dans un excès d'émotions, à ne pas avoir recours au chantage émotionnel, à exprimer l'amour maternel ou à enfanter, à passer d'un stress émotionnel au bien-être, à me ressourcer à travers les valeurs refuge, à nettoyer et purifier mes mémoires familiales, à guérir de mes blessures ou chagrins d'âme, à me nourrir correctement sur tous les plans, à utiliser correctement mon intuition et mon imagination et à prendre soin de la vie, de moi et de mon foyer.

Les forces du nombre en vous : Je créé, perpétue et prends soin de la vie en exprimant l'amour maternel envers autrui, en étant naturel(le) et sympathique, en vivant mes rêves et en me ressourçant à travers des valeurs refuges (l'eau, la nourriture, la maison, le logement, ma bulle, les habitudes, le sommeil, la musique, les cycles de l'âme, le public et les relations familiales). Je passe du mal-être au bien-être en travaillant sur mes mémoires et sur ce qui est corrompu, en nettoyant (c'est-à-dire en purifiant), mon passé, en me nourrissant correctement sur tous les plans, en exprimant mes émotions, mes états d'âme, mon imagination, ma sensibilité et mon intuition, en créant des relations intimes sympathiques et chaleureuses et en étant vivant(e) dans la joie.

Pictogrammes :

Nombre 19 - LE SOLEIL

Les questions du Soleil en vous : Qu'est ce que je vois quand je regarde ce qui est avec un regard d'enfant au cœur pur ? Quel est mon objectif ? Quelles sont mes valeurs ? Où dois-je mettre de la lumière ? Que dois-je clarifier ? Que me dit mon cœur ? Qu'est ce que je veux ? Qu'est ce qui est important ? Que signifie réussir pour moi et comment réussir en exprimant la meilleure version de moi-même ? Quelle partie de moi dois-je apprendre à mieux aimer ? Comment j'exprime l'amour qu'il y a dans mon cœur ?

Les faiblesses du nombre en vous : J'ai des difficultés à me relier à mon cœur, à m'aimer et à aimer les autres, à me relier aux autres, à me mettre en valeur, à exprimer ma créativité, à faire preuve de volonté, à avoir une bonne image de moi ou à donner une bonne image aux autres, à soigner les formes, à être clair(e) et à y voir clair, à être une personne positive, chaleureuse et généreuse, à sortir de mon égoïsme et de mon égocentrisme, de mon individualisme et d'un besoin d'être mis(e) en valeur par le regard des autres, à exprimer mon autorité sans être comme un monarque absolu, à ne pas avoir des gouts de luxe ou à ne pas faire preuve de mégalomanie, à être autonome, à construire, à me fixer les bons objectifs, à mettre en place l'organisation permettant de réussir, à vivre dans le bonheur et la joie et à rayonner comme un soleil.

Les forces du nombre en vous : Je créé, perpétue et prends soin de la vie en vivant dans mon cœur et selon mon cœur, en me reliant à la source d'amour et aux autres, en exprimant l'amour paternel et des valeurs du cœur comme la générosité et la gratitude, en ayant conscience d'être la conscience, en étant une personne positive, en me mettant en valeur et en exprimant ma lumière et ma vitalité, en éclairant et en éduquant les enfants qui sont dans l'ignorance, en réchauffant, en m'engageant, en partageant, en créant des liens privilégiés et des partenariats, en construisant, en fixant des objectifs puis en mettant en place l'organisation et les solutions nécessaires à la réussite, en maîtrisant ce qui doit l'être, en exprimant le meilleur de moi-même, en apportant de la joie et du bonheur et en brillant comme un soleil uni à Dieu.

Pictogrammes :

Nombre 20- LE JUGEMENT (l'Archange/la Résurrection)

Les questions du Jugement en vous : De quoi dois-je me souvenir ? Que dois-je faire pour accéder à la vie éternelle ? Quel changement puis-je apporter à ma vie ? Dans quelle nouvelle dimension ou nouveau monde puis-je entrer ? Quel appel ai-je entendu ou pas entendu ? Qu'est ce qui me permettrait de ressusciter ? Si je meurs demain, qu'est ce que je regrette d'avoir fait ou de ne pas avoir fait et si c'était à refaire, je ferais quoi et comment ? Quels sont les moments de ma vie où j'ai eu la sensation de vivre une vie nouvelle ?

Les faiblesses du nombre en vous : J'ai des difficultés à ne pas juger et à ne pas commettre des erreurs de jugement, à écouter pas les signes, à ne pas me sentir coupable, à ne pas vivre dans le mensonge ou enfermé(e) dans un tombeau, à élever ma vision, à prendre conscience de ce qui est sacré, à avoir la foi et à faire appel à la force de la prière, à vibrer d'amour, à gérer des projets complexes, à faire appel aux nouvelles technologies, à me révéler à moi-même, à faire passer les bons messages, à prendre conscience de la réalité de l'au-delà, à me transformer, à me libérer, à m'adapter à l'imprévu et à la nouveauté, à me donner une seconde chance ou à en accorder une aux autres, à guérir et à renaitre de mes cendres.

Les forces du nombre en vous : J'élève ma vision, je développe une vision multidimensionnelle et sacrée du corps humain, de l'âme humaine, de la réalité, de l'espace et du temps, j'exprime le pouvoir de la foi et de la prière, je gère des projets complexes et j'utilise des technologies ultramodernes en lien avec la vibration, le son ou l'image pour faire vivre des expériences et pour faire passer des messages synonymes de révélations qui permettent une transformation, une libération, une régénération, une seconde chance, une vie consciente dans l'au-delà, un éveil de la conscience, une renaissance dans un nouveau corps, un renouveau et une résurrection.

Pictogrammes :

Nombre 21 - LE MONDE

Les questions du Monde en vous : Quelle image ou vision ai-je du monde ? Quelle est ma mission de vie et ma place dans le monde ? Que dois-je réaliser ? Comment aller au bout de moi-même ? Comment trouver Dieu et un sentiment d'unité intérieure ? Que dois-je terminer ? Comment faire triompher la joie du cœur ? Comment faire triompher la joie et le bonheur ? Comment faire de ma vie une œuvre d'art ?

Les faiblesses du nombre en vous : J'ai des difficultés à sortir de mon monde, à ne pas étouffer dans mon monde, à élargir mes horizons et prendre de l'envergure, à prendre ma place dans le monde, à jouer mon rôle dans le monde, à ne pas être happé(e) par le monde, à m'ancrer dans la matière, à avoir un idéal et des objectifs justes, à m'organiser et synthétiser, à trouver et intégrer les formations nécessaires pour réussir, à élever mon âme, à exprimer mon pouvoir personnel, à utiliser mon intelligence et mon sens des réseaux pour trouver des solutions et m'adapter au monde moderne, à intégrer et aimer ce qui est étranger, à respecter les territoires, les règles et les coutumes, à accéder aux lois universelles, à être une personne sage, à exprimer mon potentiel, à réaliser ma destinée et à aller au bout de moi-même.

Les forces du nombre en vous : Je trouve et intègre les bons enseignements et l'éducation appropriée. J'acquiers les formations nécessaires à ma réussite. J'organise, je gère, je réalise, j'exprime tout mon potentiel et vais au bout de moi-même. Je m'ancre dans la matière avec joie afin de générer l'abondance. Je définis des objectifs, trouve les moyens pour les atteindre et mets en place l'organisation efficace pour réussir. Je combats pour élever mon âme et ma vision et pour exprimer mon pouvoir personnel. J'utilise mon intelligence pour trouver des solutions, pour aider et pour générer du progrès. Je m'ouvre sur le monde et sur ce qui est étranger. Je joue mon rôle dans le monde en respectant les territoires, les règles, les us et les coutumes. J'accède aux lois universelles, à la sagesse et au centre de mon corps spirituel.

Pictogrammes :

Nombre 22- LE MAT OU LE FOU

Les questions du Mat en vous : Qu'est ce qui me rend libre ? Où suis-je libre et où ne le suis-je pas ? Dans quelle circonstance ai-je été stupide et quel en était le bénéfice secondaire ? Qu'est ce qui me rend fou/folle ? Quelle est ma spécificité ? Que puis-je faire pour avancer et exprimer ce qui me rend unique ? Quels risques suis-je prêt(e) à prendre ? Quel acte de foi puis-je effectuer ?

Les faiblesses du nombre en vous : J'ai des difficultés à sortir ma conscience du mental et des mémoires généalogiques, à aller au-delà des formes et de ce qui est superficiel, à acquérir des repères, à comprendre comment fonctionnent les âmes, la société, les civilisations et la vie, à me structurer et m'adapter au système, à avoir conscience de mes devoirs et de mes droits, à grandir, à sortir de la confusion, de l'égarement, de l'irrationnel, d'une prison d'illusions ou de la folie, à devenir responsable, à trouver ma place dans la société, à ne pas vivre en marge, à ne pas être bizarre, à servir la vie, à me libérer et à vivre comme une personne libre et heureuse.

Les forces du nombre en vous : Je sors des cadres, des systèmes, des structures et des sentiers battus pour me connecter à l'univers, aux étoiles et à la force magique de la foi, pour exprimer ma spécificité, mon originalité et mon génie créatif, pour maîtriser le monde de la forme et de la matière, pour servir la vie, pour me libérer de toute mémoire, pour briser les liens du karma, pour partir à l'aventure et voyager, pour enchanter les êtres et les lieux, pour retourner à la maison au royaume de Dieu et pour vivre comme une personne libre, joyeuse, heureuse et dans un état de grâce.

Pictogrammes :

Chapitre 3 : Méthode et repères pour l'interprétation.

Pour interpréter le Diamant, il est essentiel de connaître le clavier psychologique de chaque nombre, c'est-à-dire l'essence et la finalité du nombre, ses facettes lumineuses et ses facettes obscures, puis d'écouter VOTRE ressenti pour voir et entendre comment chaque nombre s'exprime chez vous et chez autrui.

Voici les points de repères essentiels pour interpréter le DN.

1 : L'objectif du DN est de vous rassembler au centre de vous, d'équilibrer votre masculin et votre féminin et de rayonner la meilleure version de vous-même en étant au service de la vie, en accédant au nombre qui est au centre du Diamant et en exprimant chaque nombre selon une forme personnalisée adaptée à votre chemin d'évolution.

2 : Le premier niveau d'interprétation, consiste à interpréter les nombres et les cartes qui les représentent dans les 24 maisons.

3 : Un nombre dans une maison est lié à sa maison et s'exprime dans le secteur de vie concerné par la maison. Il est essentiel de voir comment le nombre a été vécu individuellement, à travers quelles expériences et quelles croyances.

4 : Il n'y a pas de « bon » ou de « mauvais » nombres ! Chacun a son rôle à jouer dans l'évolution de la vie. Ce qui est important, c'est la forme que l'on donne au nombre et ce que l'on en fait pour avancer grâce au travail sur soi. Cependant, certains nombres s'expriment plus ou moins harmonieusement en fonction des maisons où ils se trouvent parce qu'ils sont plus ou moins compatible avec leur maison.

5- Initialement, les nombres qui sont naturellement bien vécus et exprimés d'une façon harmonieuse, qui apportent des aides, des clefs ou qui neutralisent les difficultés sont en général ceux présents dans les maisons : Un, Deux, Cinq, Neuf, Onze, maison de la Source de rayonnement, maison de la Ressource clef et maison de la Réalisation. Les difficultés, blocages ou interdits sont en général liés aux nombres présents en maisons : Quatre, Six, Sept, Huit, Neuf, Douze, maison du Défi caché et maison de la Contradiction. Les nombres présents dans certaines maisons peuvent donc s'exprimer harmonieusement ou de façon déséquilibrée. Cela dépend de ce que la personne a choisi d'en faire.

6- Le deuxième niveau d'interprétation, prend en compte, dans un premier temps, les nombres en double, en triple, en quarte et en quinte. Les nombres en double et en quarte apportent une tension et un excès nécessitant conscience et travail sur soi tandis que les nombres en triple et en quinte apportent une facilité mais pas forcément beaucoup de conscience.

7 : Une qualité, suggérée dans un nombre ou par la présence de trois nombres identiques, peut ne pas s'exprimer si elle est bloquée. Un conflit suggéré par la présence de nombres en double ou en quarte est parfois transcendé et ne s'exprime pas dans la réalité, surtout si les maisons occupées sont particulièrement compatibles entre elles. Inversement, il peut exister un conflit lié à un nombre dans une maison à priori harmonieuse parce que l'on ne parvient pas à gérer le nombre d'une façon positive, même si l'on a le potentiel pour. Des actions de coaching peuvent alors être envisagées pour libérer un nombre et pour l'exprimer sous sa meilleure forme possible. Cela s'effectue par une prise de conscience de la difficulté puis par des actions pour la transformer.

8 : Le deuxième niveau d'interprétation prend en compte, dans un deuxième temps, les liens entre les maisons. Un nombre présent plusieurs fois dans le Diamant lie les maisons où il se trouve. Ce lien permet d'affiner l'interprétation. Le nombre peut cependant s'exprimer sous des facettes différentes dans chaque maison.

9 : Chaque personne a potentiellement tous les nombres en elle. La symbolique d'un nombre qui est absent dans le Diamant peut se retrouver dans le thème astral. Une personne née par exemple sous le signe du Taureau devrait à priori avoir le nombre de l'Etoile (17) ou éventuellement de la Grande Prêtresse (2), dans son Diamant. Mais si ces nombres ne sont pas présents, les valeurs du nombre existent quand même chez la personne. Cependant, pour interpréter le Diamant de Naissance, on interprète uniquement les nombres présents.

10- Le deuxième niveau d'interprétation prends enfin en compte les couples de nombres dit complémentaires, principalement les couples de nombres dont le total donne 22, ce qui donne accès à la liberté, mais aussi ceux dont le total donne 12, 13 et 17 et 21. Un nombre complémentaire est celui qui permet d'atteindre un certain nombre. Le complémentaire du nombre 21 est le nombre 1 si l'on considère que l'on veut accéder au nombre 22 et à la symbolique.

Chapitre 4 : Interprétation des nombres en maisons.

Rappel : Le Diamant de Naissance est constitué de plusieurs parties :

- Les 12 maisons du Diamant numérotées de 1 à 12 : Elles sont identiques aux maisons astrologiques qui sont elles-mêmes la matérialisation, sous forme d'expériences concrètes, des différents états d'esprit représentés par les signes astrologiques.

- Au centre du Diamant, il y a votre source de rayonnement qui décrit la façon dont vous pouvez accéder à votre centre et faire briller le magnifique Diamant que vous êtes.

- Les facettes cachées : Elles sont tout en bas à gauche. Elles décrivent votre intention d'incarnation, l'appel de ou le cri de votre âme, votre défi caché et votre ressource cachée et la contradiction qui est au cœur de votre inconscient.

- La dominante visible : Elle synthétise en 5 cartes votre tempérament, votre motivation profonde, votre ressource clef votre mode d'expression et votre nombre de réalisation. Ces cartes sont tout en bas à droite.

- La carte annuelle : Elle est au centre et en bas. Elle décrit l'énergie dominante ou l'opportunité principale de votre année.

Méthodologie pour analyser un nombre en maisons.

Une maison du Diamant est l'une des facettes de votre être, l'une des pièces de votre temple intérieur ou de votre village intérieur. Le nombre qui occupe la pièce indique l'énergie qui meuble cet espace. Chaque espace correspondant à une maison a des caractéristiques structurelles spécifiques. Cela fait que certains nombres s'expriment plus naturellement et facilement dans certaines maisons. Avant d'effectuer une analyse, il est donc judicieux de comparer la nature de la pièce (la maison) avec la nature du nombre. Vont-ils dans le même sens où ont-ils des énergies contradictoires ? De quelle façon ? Vous pouvez ensuite observer la forme que vous avez donnée à chaque maison dans votre vie, puis faire un point sur la façon dont vous occupez chaque pièce de votre maison intérieure, en fonction des nombres qui s'y trouvent. Vous pouvez ensuite faire le choix de donner la meilleure forme possible à chaque combinaison.

Les maisons du cœur du Diamant

Rappel : Tous les calculs sont en « cycles 22 ». Le Tarot Italien a mis en images symbolique que les 22 premiers nombres. C'est pour cela que seuls les 22 premiers nombres ont des noms selon la symbolique du Tarot. Le nombre 25 devient ainsi 2+5=7.

LA MAISON 1 : (Votre jour de naissance)

Résumé de la Maison 1 : Elle est en lien avec le signe du Bélier et l'élément Feu. Elle montre qui vous êtes vous en tant qu' « Etre Humain incarné. Vous êtes là pour faire quoi ? Quelle est votre force et comment l'utiliser ? Réponse par votre jour de naissance ou Maison 1.

Noms de la maison : L'épée, la force, le masque, la carte de visite, l'image.

Définition de la maison 1 : La maison 1 correspond à votre épée, à vos armes, à votre force, à votre façon personnelle d'être présent(e) sur le terrain et à votre façon et de vous exprimer dans l'action. Elle répond à la question, comment exercez-vous un ascendant, c'est-à-dire une influence, sur le monde, où comment vous vous affirmez. Elle est synonyme d'identité apparente et d'action. Elle décrit la façon dont vous vous montrez au monde, ce qu'autrui vous renvoie comme image, l'image que vous donnez, les masques que vous mettez pour vous affirmer et vous extérioriser et la façon dont vous prenez conscience de votre identité et de votre valeur. Elle montre votre identité d'être incarné. Quelle image avez-vous de vous-même ? Quelle image ont les autres de vous ? Les deux sont elles en phase ? Le nombre dans cette maison est d'un certain point de vue un peu comme l'une de vos cartes de visite naturelles. . Le nombre de votre jour de naissance est mis en image à travers la carte de tarot correspondante.

Calcul du nombre en maison 1 : Votre maison 1 correspond au jour de votre naissance réduit à un nombre égal ou inférieur à 22. Une personne née le 24 a donc par exemple le nombre 6 en maison 1 car 2+4=6.
Etes vous né(e) avant le lever du Soleil ? Si vous êtes né(e) avant le lever du Soleil, vous pouvez aussi regarder le jour d'avant et si vous êtes né(e) entre le 23 et le 31, il vous faut ajouter les deux nombres pour obtenir le nombre de votre maison 1. Vous trouverez plus bas le texte correspondant à votre maison 1 en fonction de votre jour de naissance.

Votre nombre en maison 1 : Votre jour de naissance révèle la première maison du Diamant de Naissance et correspond à la première partie de votre âme. Dans le système « Diamant de Naissance », cette partie se nomme « La Maison 1 » ou « Le secteur 1 ». Le nombre en maison 1 décrit votre point fort, votre force, l'image que vous donnez de vous, la façon dont vous vous présentez et votre façon de vous affirmer par vos propres forces. Il révèle ce que vous donnez à voir aux autres. Il est votre « persona », c'est-à-dire la manifestation extérieure de votre identité alors que votre maison 5 révèle votre être profond.

Description approfondie de la symbolique des 22 nombres en maison 1 :

Pour une personne née le 1er jour du mois : Le nombre 1 ou le Magicien (Bateleur) en maison 1 :

Pour avoir confiance en vous, vous affirmer, fonctionner correctement, être efficace et vous sentir fort(e), vous avez besoin de vous identifiez à votre corps, à vos instincts, à vos émotions, à votre ressenti, à l'énergie qui vous anime, à votre enfant intérieur et à votre intelligence pratique ; d'exprimer votre pouvoir créateur et votre enfant intérieur ; de vous amuser, de vous exprimer à travers le jeu et d'agir dans la joie ; de vous fixer des objectifs, de prendre les décisions qui s'imposent puis d'agir sur le terrain afin d'obtenir des résultats.

Vous donnez l'image d'une personne jeune, tonique, naturelle, spontanée, franche, motivée, active et dynamique, qui aime agir et faire ce qu'elle a envie de faire. Vous êtes une personne intelligente, dégourdie, habile pour gérer les différents paramètres de toutes situations et pour mettre en route de nouveaux projets. En avez-vous conscience ? Vous donnez parfois l'image d'une personne qui manque encore de maturité mais qu'importe, vous montrez que vous avez du potentiel, toutes les cartes en main, tous les savoir-faire nécessaires, la motivation et la capacité à improviser en fonction des nécessités qui s'imposent. Vos repères sont les résultats que vous obtenez. Doté(e) d'un certain pouvoir créateur, vous êtes particulièrement capable d'être dans l'instant présent, d'agir d'instinct avec votre foi, de mobiliser vos énergies, de vous affirmer, d'être énergique, entreprenant, courageux, intrépide, vaillant, enthousiaste, ardent et sportif. Vous savez expérimenter sur le terrain, vous adapter intelligemment, vous mettre en valeur, être opérationnel et travailler à faire réussir vos entreprises.

Votre esprit d'entreprise, votre capacité à prendre des décisions, votre dynamisme, votre courage, votre audace, votre sens de l'efficacité, votre aptitude à franchir les obstacles, votre motivation, votre capacité d'engagement, votre franchise et votre spontanéité sont vos principaux moyens d'expression et d'affirmation. Votre personnalité apparente est donc celle d'un être actif, émotif, dynamique et intrépide. Votre constitution est en général robuste et pleine d'énergie. Votre potentiel d'activité peut être remarquable et déboucher sur une capacité à être très autonome. Vous vous accommodez difficilement d'une existence calme, tranquille, routinière et monotone et recherchez plutôt une vie active, des expériences variées, des engagements et des émotions. Vous ne vous sentez réellement être et exister que lorsque vous êtes impliqué(e), passionné(e), présent(e) dans le feu de l'action et lorsque vous vous frottez au monde.

Si vous exprimez le côté sombre du nombre 1, vous êtes leurré(e) par ce qui est en bas, c'est-à-dire par votre mental, votre impatience et votre impulsivité, par un manque de conscience, de maturité, de vision globale et de persévérance. Vos lacunes éventuelles peuvent alors venir de la colère qui est un mouvement désordonné de l'âme offensée parce qu'elle n'a pas accepté quelque chose. Comme vous recherchez le plus souvent des résultats immédiats où que vous faites facilement preuve de précipitation, vous pouvez être plus doué(e) pour commencer et déclencher un mouvement que pour le mener à bien et le terminer. Il peut donc vous être utile de cultiver la persévérance. Quand vous incarnez le côté lumière du nombre 1, vous devenez un Magicien, vivant intensément dans l'instant présent, toujours prêt à l'action, à vivre de nouvelles aventures et à générer de la nouveauté. Vous êtes connecté(e) à votre cœur et aux nécessités, synchronisé(e) avec la volonté du ciel, doté(e) d'une vision, d'objectifs, d'une grande intelligence pratique et d'une remarquable efficacité. Vous êtes alors capable de faire de la magie et d'enchanter les êtres et les lieux.

Pour une personne née le 2 du mois : Le nombre 2 représenté par l'image de la Grande-Prêtresse en maison 1 :

Pour avoir confiance en vous, vous affirmer, fonctionner correctement, être efficace et vous sentir fort(e), vous avez besoin d'accéder au bien-être du corps et de l'âme, de vous sentir en sécurité dans votre bulle, de bien préparer ce qui doit l'être afin de permettre aux événements d'accoucher, d'exprimer votre ressenti, votre imagination et votre foi, de travailler sur l'inconscient, sur des souvenirs ou des croyances, de vous libérer de secrets de famille, de trouver les bonnes informations ou les bonnes clefs et de les gérer judicieusement et enfin d'expérimenter des liens émotionnels intimes et ressourçants.

Vous donnez l'image d'une personne hypersensible, intériorisée, très intuitive, profonde, reliée à l'énergie de la Terre-Mère et particulièrement douée pour accéder aux informations nécessaires à la vie, que ces informations soient liées au bien-être et à la santé, à la maternité, à la psychologie, aux secrets de la vie ou d'ordre beaucoup plus administratives.

Cela vous permet de détenir les clefs du savoir, d'être une gardienne de la mémoire et de la vie, d'enlever les voiles de tout mystère, d'apporter des révélations, de donner aux autres les clefs nécessaires pour que leur vie avance et de faire symboliquement accoucher les âmes. Vous pouvez donner l'image d'une personne très maternelle ou d'une grand-mère gardienne des traditions de la vie. Vous avez une capacité naturelle à suggérer ou à montrer que vous avez l'information, que vous savez des choses, que vous détenez la connaissance. En avez-vous conscience ?

Vous vous présentez également comme une personne prudente, patiente, qui réfléchit avant d'agir et qui avance lentement. Vous pouvez avoir une intelligence émotionnelle très développée, d'importantes capacités pour trouver les bonnes informations puis pour les organiser ainsi qu'une rigueur, un respect, un sérieux, une légitimité et une autorité parfois sévère. Dès qu'il s'agit de vous affirmer vous êtes particulièrement capable d'être en accord avec l'ensemble de votre personnalité, de vous ressourcer, de vous détendre, de vivre selon vos rythmes et vos habitudes, d'être naturel(le), convivial(e) et sympathique, de vous créer un univers personnel ou un monde familier que vous protégez de tout ce qui n'en fait pas partie, de créer du lien émotionnel, de ressentir l'ambiance, de vous nourrir et d'être nourri(e), de véhiculer des émotions et de gérer les émotions présentes et d'exprimer votre sensibilité, votre imagination et votre intuition.

Vous êtes une personne particulièrement sélective et auto-protectrice. Vos intimes seront triés sur le volet et vos proches dûment choisis pour leur adéquation naturelle à votre univers personnel. Le monde extérieur est parfois perçu comme étant dérangeant. Mieux vaut alors vous forger un milieu clos dans lequel pourra s'épanouir à loisir une sensibilité profonde. Votre sensibilité vous permet de ressentir intuitivement l'architecture de la vie, les structures du monde, les profondeurs des âmes, les vérités universelles et les lois éternelles qui gouvernent le monde. Vous pouvez pressentir qu'il y a une grande différence entre les lois éternelles, les lois de la nature et les lois du monde extérieur, sentir que le monde extérieur ne peut à lui seul apporter le bien être et la paix de l'âme. Vous organisez ainsi votre vie privée de façon à être perturbé le moins possible par le monde extérieur. Vous avez une facilité naturelle à vous isoler au point que vous n'êtes pas toujours disponible parce que vous avez besoin d'être tranquille. Vous avez une facette contemplative et méditative.

Si vous exprimez l'ombre de la Grande Prêtresse, le risque est d'enfermer vos rythmes de vie dans des rites immuables, dans un cérémonial quotidien réducteur, dans une tour d'ivoire qui protège votre sensibilité mais aussi de garder un contrôle excessif de votre profonde sensibilité et de vos émotions, ce qui freine la création de liens avec autrui. On vous reproche parfois un caractère un peu froid, sévère ou distant alors que votre cœur vibre de la puissance de l'amour inconditionnel. Des comportements plus souples et plus fluides permettraient à votre sensibilité de donner sa pleine mesure et de réaliser l'harmonie quasi-absolue dont vous rêvez.

Vous avez besoin, pour vous sentir bien, pour vous ressourcer et pour exprimer vos émotions de silence, d'ordre, de respect, de sécurité, de simplicité et de temps. Vous avez aussi besoin, pour vous sentir bien, pour vous ressourcer et pour exprimer vos émotions, d'avoir la foi en la vie, d'écouter et d'utiliser votre intuition, de communier avec votre environnement et surtout de rêver, de vous évader et d'accéder à la transcendance à travers un chemin spirituel.

Vous avez également besoin de vous libérer de vos mémoires généalogiques et de vos mémoires de vie passées, lesquelles peuvent être très présentes dans votre quotidien au point parfois de vous empêcher d'être pleinement vous-même. Là où il y a une Grande Prêtresse, il y a des secrets à dévoiler et à rendre, avec amour et respect, à la vie, pour qu'elle tourne la page et avance. Vous pouvez être doué(e) pour saisir le sens caché des événements et pour pressentir que votre existence terrestre n'est qu'une toute petite partie de votre existence éternelle. Vous pouvez ainsi avoir l'impression de venir à l'origine d'un autre monde, d'un état vibratoire différent, d'un autre état de conscience, d'ailleurs. Cela peut induire une certaine confusion tant que vous n'avez pas appris à mettre de l'ordre dans votre sensibilité et à situer les choses. Vous pouvez être capable de percevoir les vies antérieures de votre âme et avoir l'impression d'avoir déjà vécu à d'autres époques, sous l'habit d'une autre personne.

Vous pouvez avoir l'impression que les murs vous parlent, qu'un lieu a une histoire ou qu'il vous rappelle quelque chose alors que vous n'y avez jamais été. Vous pouvez être particulièrement sensible à l'énergie des lieux et aux courants telluriques. Vous avez des facilités pour vous mettre dans la peau de l'autre, pour vibrer à l'unisson avec l'autre, pour éprouver ce que l'autre a dans son cœur, pour percevoir son image astrale, ses humeurs, ses émotions, ses états d'âme, pour communiquer avec autrui par télépathie et pour soulager et soigner les souffrances et les misères du corps, de l'âme et du monde. Vous faites partie des personnes qui n'ont pas besoin d'explications, de justifications et de longs discours pour comprendre car vous devinez. Tout est pour vous une question de perception intuitive, feeling et de sensibilité.

Mais si vous connaissez la valeur et la profondeur du silence, si vous percevez la vibration du silence, vous savez aussi mettre des mots et communiquer, en choisissant soigneusement vos mots, quand cela est nécessaire. En conclusion, vous êtes une personne sensible, intuitive, spirituelle, dévouée, fortement capable de compassion, de charité, de sacrifice et d'amour inconditionnel. Vous êtes « Grande Prêtresse » ou « Magicienne », gardienne de la vie, de ses secrets et de son évolution.

Pour une personne née le 3 ou 30 du mois : Le nombre 3 représenté par l'image de l'Impératrice en maison 1 :

Pour avoir confiance en vous, vous affirmer, fonctionner correctement, être efficace et vous sentir fort(e), vous avez besoin d'être écouté(e), entendu(e) et de communiquer, d'apprendre, de comprendre et de faire des études, de vous organiser efficacement, de participer activement « aux affaires de l'empire », de vivre de nombreux échanges avec votre milieu et parfois de faire du commerce ou de la communication, de synchroniser vos pensées, vos paroles et vos actes, de cohérence, de tout coordonner et de maîtriser les différents paramètres de votre environnement afin de le gérer et de vous adapter intelligemment. Vous avez besoin de pouvoir exprimer votre curiosité et votre intelligence relationnelle, d'être en mouvement, de découvrir, d'être légitime, de maîtriser la forme en donnant une forme intelligente à chaque situation, bref d'exprimer et de faire respecter votre autorité et d'être comme une super maman ou une super assistante de direction qui gère tout.

Dès lors qu'il s'agit d'entreprendre, d'expérimenter sur le terrain, de vous affirmer, de vous mettre en valeur, d'être opérationnel(le) et efficace ou de travailler dans une entreprise, vous êtes particulièrement capable d'observer et d'écouter, de vous informer, de trier et prioriser les informations disponibles, d'avoir une certaine lucidité, d'aborder votre entourage pour créer des liens, de faire des rencontres, de communiquer, de comprendre, d'exprimer ou de défendre vos idées, de découvrir l'inconnu, d'explorer l'environnement, de négocier, de faire du commerce, de faire preuve d'intelligence, de mettre les choses en forme, de gérer la situation et de vous adapter.

Vous donnez donc l'image d'une personne qui s'affirme à travers la communication, avec un mélange d'autorité, d'habileté, de conviction et d'élégance. Vous montrez que vous êtes vif(ve) d'esprit, que vous avez une intelligence relationnelle et du discernement, une intelligence des formes, de l'entregent, un sens de l'harmonie et du détail, un esprit d'entreprise et le dynamisme nécessaire pour que les affaires, « l'empire », quel qu'il soit, se poursuivent avec efficacité. Vous montrez que vous savez synchroniser vos ressentis, vos pensées, vos paroles et vos actions. La raison et l'intellect tendent donc à dominer chez vous au profit de l'instinct.

C'est à travers cela ou en fonction de cela que vous prendrez conscience de qui vous êtes ou de ce que vous n'êtes pas. Vous n'arrivez donc pas toujours à définir clairement qui vous êtes car votre personnalité est parfois celle d'un être double ou multiple, capable d'adopter de nombreux masques et de s'adapter de manière spontanée à tout interlocuteur.

Vos difficultés peuvent provenir d'une tendance à accorder trop d'importance à votre mental, à tout vouloir comprendre et à croire que le mental a les solutions à tout. Votre évolution passe alors par la prise de conscience que si votre intellect est un outil pratique et très efficace pour vous adapter à la vie extérieure, il peut devenir votre plus redoutable ennemi s'il prend trop de place, car il vous empêche alors de voir les choses en profondeur, de laisser votre âme s'exprimer, d'aller au-delà de l'intellect vers l'expérience spirituelle corporellement vécue, d'être sérieux(se), intègre, responsable, d'accéder à votre vérité profonde et d'être en fin de compte en paix avec vous-même.

Pour une personne née le 4 ou le 31 du mois : Le nombre 4 représenté par l'image de l'Empereur en maison 1 :

Pour avoir confiance en vous, vous affirmer, fonctionner correctement, être efficace et vous sentir fort(e), vous avez besoin de comprendre et accepter les règles de l'empire, c'est-à-dire de la société dans laquelle vous vivez, de vous fixer des objectifs réalistes et de travailler avec acharnement jusqu'à l'obtention des résultats voulus, d'avoir confiance en vous et en la vie, d'organiser, de structurer et de concrétiser ce qui doit l'être, de gérer une structure, un territoire ou des projets complexes, de prendre conscience de votre pouvoir personnel et d'exprimer votre autorité avec justesse, de trouver votre légitimité, d'avoir un statut et l'autorité qui va avec, de prendre votre place dans le monde en exerçant une activité professionnelle officielle et reconnue, de bâtir symboliquement ou réellement votre empire en créant votre propre structure, de diriger ou d'être un chef d'entreprise et de participer à la création où à la vie d'un empire, d'une structure existante, sans toutefois être consumé par une activité professionnelle excessive.

Votre force est d'être particulièrement capable de comprendre votre environnement social avec ses codes et sa culture, de vous intégrer dans un groupe ayant des objectifs communs, de faire des affaires, d'être optimiste, opportuniste et généreux, de légiférer, de représenter, d'organiser, de coordonner, de gérer, d'administrer, de distribuer, d'éduquer, de conseiller, de guider, de diriger, d'être confortable, d'élargir vos horizons, de conquérir votre place dans la société, de prendre position afin d'occuper l'espace et d'exercer avec maîtrise une activité professionnelle.

Vous donnez l'image d'une personne déterminée, exigeante, solide, très bien organisée, persévérante, qui a confiance en elle et en la vie, qui sait reconnaître le potentiel et la valeur de chaque être, qui est dotée d'une autorité voire d'une puissance naturelle portée par une certaine légitimité, qui sait ce qu'elle veut, qui sait le faire savoir et qui se donne concrètement les moyens nécessaires pour atteindre ses objectifs, pour prendre sa place dans son environnement et pour bâtir, à sa façon un empire. Avez-vous conscience d'avoir la force de l'Empereur et d'avoir bâti « votre empire » ? Vous montrez que vous avez des capacités pour organiser, pour structurer, pour planifier pour gérer des projets complexes mais aussi que vous avez un sens du devoir, que vous disposez d'un certain pouvoir et d'une certaine maîtrise vis-à-vis des réalités matérielles concrètes, des êtres et des situations. Vous apparaissez comme une personne mûre, expérimentée, stable, logique, volontariste, pragmatique, réaliste, rigoureuse, responsable et ambitieuse.

Vous vous exprimez et vous affirmez en vous insérant dans le système culturel dont vous faites partie, en exerçant une activité utile à la société; en vous adaptant aux lois, aux normes et aux règles du jeu sociales; en élargissant vos horizons intellectuels, culturels ou spirituels à travers les voyages et la culture et en étant un membre représentatif de votre société. Le monde extérieur est votre champ d'expérience. Vous pouvez avoir un coté assez cosmopolite ou incarner des valeurs bourgeoises. Vous pouvez vous définir comme un citoyen du monde ou à travers une forme d'autorité et de pouvoir représentatif. Vous êtes capable d'être à l'aise partout et de mettre les autres à l'aise. Votre grande sociabilité est alimentée par un besoin d'établir une relation sociale à chaque rencontre afin de l'intégrer à la prospérité de l'empire. Face à une situation ou une rencontre nouvelle, vous cherchez d'emblée à définir le statut, la position, le rôle et le potentiel de chacun.

Votre besoin d'assurer le bon fonctionnement de l'empire et de le conserver vous conduit parfois à des réactions de dureté. Vous êtes maître dans la capacité à vous couper en quatre pour les membres de votre clan mais aussi dans l'art de couper les cheveux en quatre. Vos lacunes éventuelles peuvent provenir d'une tendance aux excès, d'une expansivité tapageuse, envahissante et colonialiste, de démonstrations vertueuses cachant des mobiles intéressés, d'une tendance à vouloir systématiquement prendre le pouvoir et faire la loi, d'une tendance à vouloir contrôler la vie des autres, d'une tendance à créer des liens de dépendance et d'une soif exagérée de confort matériel. En ayant pleinement conscience de votre pouvoir personnel, en l'exprimant pleinement de manière positive, en le mettant au service de la vie et en prenant votre place dans le monde vous permettez aux autres d'en faire autant.

Pour une personne née le 5 ou le 23 du mois : Le nombre 5 représenté par l'image du Grand- prêtre en maison 1 :

Pour avoir confiance en vous, vous affirmer, fonctionner correctement, être efficace et vous sentir fort(e), vous avez besoin d'être centré dans votre cœur et ancré dans la vie, de développer votre légitimité et de vous sentir légitime, d'accéder aux enseignements qui sont nécessaires à votre intégration sociale et à votre évolution, d'avoir une vision à la fois globale et précise de votre environnement, de comprendre la société avec ses règles et ses fonctionnements et d'être intégré socialement, de maîtriser des systèmes d'informations et d'acquérir et transmettre une expertise, d'expérimenter les voyages du corps et de la conscience, de cultiver la bienveillance, la gratitude, l'intuition et le bon sens, de vivre une vie qui a du sens et parfois de faire le lien entre Dieu et les Hommes, de solliciter vos qualités de rigueur, de discipline et de bienveillance, d'utiliser votre sens pédagogique, de transmettre et d'incarner une autorité morale, médicale, technique, religieuse ou spirituelle.

Votre force est d'être particulièrement capable de comprendre les personnes mais aussi votre environnement social avec ses codes et sa culture, de vous intégrer dans un groupe ayant des objectifs communs, d'être optimiste, opportuniste et généreux ; de faire preuve de compassion et de pardonner, de savoir légiférer, représenter, coordonner, gérer, administrer, distribuer, éduquer, conseiller, guider et diriger ; d'être confortable, d'élargir vos horizons et de prendre votre place dans la société en exerçant avec expertise une activité professionnelle.

Votre personnalité apparente est celle d'une personne extravertie, expressive, démonstrative, généreuse, confiante et digne de confiance, optimiste, chaleureuse, joviale, fluide dans sa communication, sachant susciter la foi et sachant créer autour d'elle une atmosphère d'ouverture. Vous vous présentez comme une personne dotée d'une grande légitimité, d'une autorité bienveillante, d'une foi puissante, d'une envergure d'esprit, de connaissances concernant les lois qui régissent les êtres humains, les sociétés, les systèmes d'informations et la vie mais aussi d'un lien particulier entre le monde des Dieux et le monde des Hommes.

Vous apparaissez comme une personne soucieuse de la bonne santé du corps et de l'âme d'autrui mais aussi de la protection et du « salut » des personnes que vous côtoyez. Vous montrez que vous êtes une personne intelligente, cultivée, chaleureuse, bienveillante, réconfortante, mûre, expérimentée, réaliste, rigoureuse, responsable et génératrice d'évolution. En avez-vous conscience ? Vous semblez être une personne qui est centrée dans son cœur, ancrée dans la vie et maître d'une intelligence capable d'accueillir, d'organiser et de restituer des savoirs, des expériences intérieures et des enseignements. Vous êtes capable d'être à l'aise partout et de mettre les autres à l'aise. Votre grande sociabilité est alimentée par un besoin d'établir une relation sociale à chaque rencontre afin de donner ou recevoir un enseignement. Vous semblez être doté d'un pouvoir intemporel capable de guider, d'accompagner, de générer la foi et la confiance, de soigner les souffrances et les misères du corps et de l'âme et de permettre à chacun de retrouver le sacré en soi à travers des objectifs qui ont du sens. Avez-vous conscience d'avoir en même temps la force de la foi et la force de la connaissance ?

Vous vous exprimez et vous affirmez souvent en faisant référence à un système de valeurs culturelles, médicales, philosophiques, religieuses, ou spirituelles fortes ; en vous adaptant aux lois, normes et règles du jeu de la société; en cherchant toujours à élargir vos horizons, à travers les voyages et la culture et en étant un membre représentatif de votre société. Le monde extérieur est votre champ d'expérience.

Vous pouvez avoir un coté cosmopolite, une forte ouverture à ce qui est étranger ou incarner des valeurs bourgeoises. Vous pouvez vous définir comme un être de cœur, comme un citoyen du monde, comme un adhérent à un certain style de vie où à une certaine école de pensée ou à travers une forme d'autorité morale et de pouvoir représentatif.

Vos lacunes éventuelles peuvent provenir d'une tendance à nourrir une confusion mentale et spirituelle à travers des enseignements déconnectés des nécessités spirituelles, d'une tendance aux excès, d'une tendance au sectarisme et au fanatisme idéologique/religieux, d'une expansivité tapageuse, envahissante et colonialiste, de démonstrations vertueuses cachant des mobiles intéressés, d'une tendance à vouloir systématiquement prendre le pouvoir et faire la loi et d'une soif exagérée de confort matériel. Les rappels à l'ordre peuvent alors être difficiles car le Grand-prêtre vous demande d'être au service de la vie et de la société tout en avançant sur le chemin spirituel vers l'union avec Dieu. Le nombre 5 en maison 1 peut parfois vous poser un problème d'identité si vous situez votre identité en fonction du monde extérieur et d'éléments extérieurs (repères/valeurs/croyances) à vous, alors que vous ne pouvez trouver votre identité qu'au plus profond de vous-même à travers une expérience intérieure. Il est donc important de distinguer votre rôle, celui qui vous permet d'exprimer vos talents, et votre identité éternelle.

Pour une personne née le 6 ou le 24 du mois : Le nombre 6 représenté par l'image de l'Amoureux en maison 1 :
Pour avoir confiance en vous, vous affirmer, fonctionner correctement, être efficace et vous sentir fort(e), vous avez besoin de douceur et d'harmonie, d'exprimer votre intelligence relationnelle, esthétique, artistique ou corporelle, d'écouter vos vrais désirs de façon à faire des choix qui vous correspondent et vous mettent en joie, d'exprimer vos désirs et votre sensualité, d'être à l'aise avec votre corps physique, de vous relier aux autres et de créer des liens sociaux, de partager avec vos amis, au sein d'un groupe voire avec l'humanité toute entière, d'être dans le service, de générer de la joie, de la beauté et l'abondance, de faire preuve de diplomatie, de plaire et de séduire, de décorer, d'habiller et d'embellir, d'aimer et de vous engager dans une relation de couple, d'apporter du bonheur, du plaisir et un sourire aux autres, de communiquer, de participer à la civilisation et de faire de votre vie une œuvre d'art.

Vous vous présentez comme une personne capable de se centrer à la fois sur ses propres désirs et sur ceux des autres. Vous êtes très sensible à l'esthétique, à la beauté, à l'harmonie des formes, des nuances et des couleurs, à la vibration du plaisir et aux différentes volontés présentes dans toute situation. Votre capacité à écouter vos vrais désirs vous permet de vous orienter d'après ce qui vous procure du plaisir et de la joie, de faire les bons choix, d'être créateur(trice) de formes et d'agir en artiste pour faire de votre vie une œuvre d'art. En avez-vous conscience ?

Il émane de vous une joie de vivre, une bonne humeur naturelle, beaucoup de douceur, une volupté, une sensualité et un certain charme. Cela permet à votre personnalité de s'exprimer avec grâce et élégance. Vous montrez que vous savez vous relier aux autres, partager, vous engager, être dans le service, trouver les bons compromis, que vous avez une intelligence affective et relationnelle et que vous êtes une personne sociable, aimante, ouverte, joyeuse, passionnée, agréable, harmonieuse, charmante, gracieuse, séduisante, sincère, conciliante, diplomate et tolérante. Dès lors qu'il s'agit de définir des objectifs, de vous donner les moyens pour les atteindre, d'entreprendre, d'oser, d'expérimenter sur le terrain, de vous affirmer, de vous mettre en valeur, d'être opérationnel(le) et d'être efficace ; vous êtes particulièrement capable d'utiliser vos cinq sens, de créer des liens, de construire des relations sociales, d'utiliser votre intelligence relationnelle, de faire preuve d'harmonie, de douceur et de gentillesse, d'attirer, de plaire et de séduire, d'exprimer votre sens esthétique et artistique, de coopérer et de participer à la civilisation. C'est là où se trouve votre force. Vous aimez profiter des joies quotidiennes, agrémenter votre existence à travers des sorties, des loisirs et une intense activité relationnelle, vivre une vie harmonieuse et goûter à l'amour et aux plaisirs des sens. Vous avez horreur des excès, des conflits, de la brutalité et tendez à tout faire pour éviter les confrontations. Vous êtes un apôtre de la non-violence et avez parfois du mal à dire non par crainte des réactions d'autrui, par peur d'être rejeté(e), d'être agressé(e) ou de décevoir. Vous réagissez par contre violemment lorsque vous éprouvez un sentiment d'injustice. Vous suggérez parfois que vous permettez à l'autre de faire ses choix ou d'avoir ses chances alors que souvent, vous avez déjà choisi en fonction de vos propres critères.

Une implication de vos sentiments dès lors que vous vous affirmez vous rend parfois peu efficace lorsqu'il faut lutter pour faire valoir vos droits face à des obstacles, lorsqu'il faut faire preuve de logique ou lorsqu'il faut prendre du recul. Par contre vous pouvez être redoutablement efficace et avoir des facilités pour vous affirmer lorsque vous vous sentez soutenu(e) sentimentalement, lorsque votre équilibre est en jeu, lorsque vous êtes à deux, à plusieurs ou lorsqu'il s'agit de créer une relation ou de faire plaisir. Vous avez besoin des autres pour exister et pouvez avoir tendance à vous définir ou à vous affirmer à travers votre couple ou vos relations, en vous identifiant à l'autre. Cela peut quelques fois vous causer un problème d'identité. Face à une situation nouvelle, vos réactions sont avant tout affectives, sensorielles, sensuelles et émotionnelles. Avant de prendre un certain recul, vous obéissez parfois aveuglément à ce qui vous séduit et vous attire, à ce qui vous plaît ou vous déplaît et aux apparences. Il vous est nécessaire de trouver un équilibre entre l'énergie que vous consacrez à vous même et celle que vous consacrez aux autres et de ne pas faire dépendre votre bonheur ou votre existence des réactions d'autrui.

Pour une personne née le 7 ou le 25 du mois : Le nombre 7 représenté par l'image du le Chariot en maison 1 :

Pour avoir confiance en vous, vous affirmer, fonctionner correctement, être efficace et vous sentir fort(e), vous avez besoin de définir les objectifs et la destination qui sont justes pour vous, de trouver les ressources, les stratégies et les solutions d'organisation (logistique) nécessaires pour les atteindre, de trouver votre voie dans la vie, de vous donner l'autorisation et la permission de réussir, d'obtenir des résultats ou des victoires et d'atteindre votre destination, d'être dans l'action, de vous mettre en mouvement, d'organiser des voyages ou des expéditions. Vous avez besoin d'oser, d'être une personne audacieuse, d'entreprendre, de vous affirmer, de vous mettre en valeur, de jouer un rôle central sur les devants de la scène, de vous maîtriser et de maîtriser les événements, de gérer des projets ou des situations nécessitant une certaine organisation, de vous intégrer dans une organisation ou dans un projet et d'être opérationnel et performant sur le terrain, en étant symboliquement comme un soldat ou comme un général qui mène ces troupes au combat et à la victoire.

Dès lors qu'il s'agit de définir des objectifs, de vous donner les moyens pour les atteindre, d'entreprendre, d'oser, d'expérimenter sur le terrain, de vous affirmer, de vous mettre en valeur, d'être opérationnel(le), d'être efficace et de réussir ; vous êtes particulièrement capable de vous motiver, de vous mettre en action, de vous repérer dans l'espace, d'aller là où c'est nécessaire, d'utiliser votre intelligence technique et votre force, de faire preuve de franchise, de prendre des initiatives, de vous donner l'autorisation d'aller de l'avant, d'accomplir votre mission et d'obtenir la victoire. Vous pouvez avoir une grande rapidité de réflexes, des facilités pour conduire un véhicule, pour donner ou trouver la direction à suivre et pour voyager ainsi qu'une intelligence des trajectoires, de la gestion de projet et du monde de l'entreprise.

Le monde vous passionne et vous avez besoin de vie et d'action. Vivre des expériences, vous affirmer dans la vie, mobiliser vos énergies pour obtenir des résultats, vous imposer en faisant usage de la force, agir, réagir ou vous engager dans un combat tendent à être pour vous synonymes d'insertion dans la société, d'élargissement de vos horizons (soit à travers des voyages, expéditions et explorations, soit à travers une recherche culturelle, philosophique ou spirituelle), et de lutte pour défendre ou propager un idéal, pour faire respecter la loi en incarnant une forme d'autorité, ou pour vous épanouir, vous réaliser et vous accomplir. Tout un programme ! Vos instincts, votre combativité et vos élans naturels tendent à être influencés, canalisés, gérés et pris en main par des normes sociales, par un idéal philosophique, religieux, culturel ou spirituel et par une conscience des conséquences de vos actes sur l'entourage. Cela vous permet le plus souvent d'orienter votre dynamisme de façon constructive vers une cause, un idéal ou des objectifs sociaux, utiles et d'intérêt collectif.

Vous êtes particulièrement capable de vous battre, de déployer les grands moyens et d'être offensif ou agressif lorsqu'il s'agit de conquérir votre place dans la société, lorsque vous exercez votre activité professionnelle, lorsqu'il s'agit de vous insérer dans un groupe ayant des objectifs communs, lorsqu'il vous faut convaincre et vous imposer, lorsqu'il vous faut défendre, propager, nationaliser ou internationaliser une culture, un idéal, un marché, des normes, des codes et des règles officielles ou lorsqu'il s'agit de produire ou vendre des produits ou des services ayant une valeur marchande. Cela vous permet de réussir professionnellement.

Pour une personne née le 8 ou 26 du mois : Le nombre 8 représenté par l'image de la Justice en maison 1 :

Pour avoir confiance en vous, vous affirmer, fonctionner correctement, être efficace et vous sentir fort(e), vous avez besoin d'ordre, de justesse et de vérité, de faire ce qui est juste pour vous, d'équilibre et d'harmonie, d'être une personne intègre, responsable et sérieuse et de participer d'une façon ou d'une autre à la civilisation, à travers des structures administratives ou associatives, en exprimant une intelligence relationnelle, psychologique, juridique ou artistique. Vous avez besoin de prendre conscience que la vie est gouvernée par un ordre invisible où tout est lié et par une justice divine où toute action porte en elle des conséquences, d'effectuer un apprentissage des lois, celles qui régissent l'ordre des choses et celles des Hommes, de comprendre les règles, les procédures et le fonctionnement de la vie et de la civilisation et d'avoir conscience, de votre part de responsabilité dans ce qui vous arrive, de vous dégager de tout ce qui peut être lourd et pesant dans votre vie, d'équilibrer les déséquilibres, de trouver votre équilibre et le préserver. Il est important pour vous de transformer un besoin d'être une personne parfaite en une personne qui est okay parce qu'elle fait de son mieux.

Vous êtes une personne réservée, droite, intègre, responsable, sérieuse, parfois stricte, rigoureuse, déterminée, souvent en questionnement, dotée d'un regard profond et d'un puissant besoin de liens avec autrui et vous êtes très sensible à ce qui équilibre ou déséquilibre. Malgré une apparence parfois sévère, vous êtes sociable, équilibrée et charmante. Vous vous présentez comme une personne croyant que la vie est gouvernée par un ordre invisible où tout est lié mais aussi par une justice divine où toute action porte en elle des conséquences et où toute forme est la résultante d'un fond. Cela vous rend particulièrement sensible au sentiment de justice ou d'injustice mais aussi aux liens entre toutes choses, aux structures et aux formes. Vous agissez alors selon les règles qui vous paraissent justes. En avez-vous conscience ?

Cela fait de vous une personne soucieuse d'être en harmonie avec les lois cosmiques et les lois des hommes, soucieuse de justesse et de précision dans vos façons d'être et dans vos actions et aussi soucieuse de voir que les choses sont justes quand on les observe en profondeur. Cela vous confère en toute situation un besoin de mesure, d'ordre, de vérité, d'équilibre et de justesse. Cela vous incite parfois à apprendre à connaitre les lois du monde, le fonctionnement de l'âme humaine ou les règles administratives qui structurent votre civilisation afin d'être capable d'établir des contrats, de gérer des données administratives ou de participer à des activités associatives. La découverte de votre identité peut se faire grâce à un sentiment d'harmonie, de beauté, de joie, de bonheur et de grâce, à travers le couple, à travers une activité associative ou grâce à la conscience que vous faîtes partie d'une part d'une civilisation mais aussi d'un tout beaucoup plus vaste qui englobe l'humanité toute entière. Votre sensibilité aux structures et aux formes peut vous conférer des capacités juridiques, artistiques ou esthétiques.

Pour une personne née le 9 ou le 27 du mois : Le nombre 9 représenté par l'image de l'Hermite en maison 1 :

Pour avoir confiance en vous, vous affirmer, fonctionner correctement, être efficace et vous sentir fort(e), vous avez besoin de temps et de maîtriser le temps, de vous intérioriser, de simplicité, d'être humble et dans la vérité des choses, de profondeur et de sagesse, d'organisation, de discipline, de pouvoir observer attentivement, de prendre du recul, de vous isoler, de pouvoir poser les bonnes questions, de tirer des leçons de vos expériences, d'avoir quelque chose à chercher et de faire des découvertes, d'être en chantier ou de gérer des chantiers, d'aller à l'essentiel, de cheminer vers votre vérité profonde et d'expérimenter la paix intérieure. Vous avez besoin de prendre conscience que la vie est gouvernée par une réalité invisible éternelle très structurée qui s'exprime dans différentes formes de temps à travers des lois et des cycles, de faire référence aux lois éternelles, de vous dégager de tout sentiment de lourdeur, de tristesse ou de frustration, de manque ou d'abandon, d'avoir conscience de ce qui vous manque réellement et d'abandonner ce qu'il est nécessaire d'abandonner pour avancer.

Vous êtes une personne d'apparence simple, minimaliste, sérieuse, réfléchie, responsable, pragmatique, organisée, aimant le travail, soucieuse de qualité, de sécurité et de durée, parfois dure et distante mais aussi sage et espiègle, avec un côté solitaire ou plutôt réservé, calme, prudent(e), intègre, expérimentée, souvent en questionnement et toujours un peu en chantier, mûre, solide, profonde car consciente qu'il existe un ordre éternel caché, pleine de bon sens, persévérante, tenace, accordant une grande valeur aux principes et ayant besoin de travailler. En avez-vous conscience ?

Dès lors qu'il s'agit de définir des objectifs, de vous donner les moyens pour les atteindre, d'entreprendre, d'oser, d'expérimenter sur le terrain, de vous affirmer, de vous mettre en valeur, d'être opérationnel(le) et efficace, de vous battre et de réussir; vous êtes particulièrement capable de prendre du recul, d'observer en profondeur, de faire une analyse rétrospective, de voir le chemin parcouru et ce qui reste à parcourir, de vous poser les bonnes questions, d'aller à l'essentiel et au fond des choses, d'abandonner ce qui doit l'être, de résister aux pressions extérieures, de faire référence aux lois éternelles, d'organiser ce qui doit l'être, de gérer des projets et des chantiers à long terme. Vous êtes capable de planifier des étapes, de construire dans le temps, de gérer et maîtriser le temps, de surmonter patiemment les obstacles susceptibles de vous barrer la route, d'expérimenter et de faire des recherches, de guider et d'éclairer, de voir la lumière et d'être positif(ve), de faire preuve de vérité et de sagesse, de structurer et de travailler sur les structures, d'utiliser des plans et des schémas, d'être humble et dans la vérité des choses, de faire toujours de votre mieux et de cheminer afin de trouver et vivre votre vérité profonde dans un état de paix intérieure.

La découverte de votre identité peut se faire grâce à des recherches personnelles, à la conscience de votre histoire et de votre éternité, à la méditation, la gestion d'un chantier ou à la construction d'une œuvre. Votre patience, votre capacité à théoriser et votre sensibilité aux structures, aux vérités éternelles, à l'histoire, au temps et aux nombres peuvent vous conférer des capacités pour faire des recherches et des découvertes, pour l'architecture, pour comprendre et utiliser des systèmes d'informations, pour construire et pour générer de l'ordre, de la vérité et de la conscience là où elle sont nécessaires. Si ce nombre n'est pas correctement intégré, vous apparaissez parfois comme une personne triste et timide parce qu'elle a des difficultés à s'aimer et à prendre conscience de sa valeur, qui manque de confiance en elle, qui vit dans son passé ou dans ses peurs, qui a tendance à vouloir tout contrôler ou qui est au contraire complètement indifférent(e), qui a tendance aux excès de travail, qui manque de chaleur et de sociabilité, qui fait preuve d'un pessimisme qui la fait passer à coté d'opportunités et qui a tendance à être égoïste à cause de ses peurs. Il ne dépend que de vous d'exprimer le meilleur du nombre 9.

Pour une personne née le 10 ou le 28 du mois : Le nombre 10 représenté par l'image de La Roue de fortune en maison 1 :

Pour avoir confiance en vous, vous affirmer, fonctionner correctement, être efficace et vous sentir fort(e), vous avez besoin d'exprimer une intelligence technique et pratique, stratégique et scientifique, comptable ou commerciale et donc d'analyser, d'organiser et de traiter de l'information, de comprendre ce qu'il se passe et comment fonctionne la vie, les cycles et les gens, de comprendre le sens de votre destinée et des événements extérieurs qui font l'histoire, de répéter pour développer une expertise pour servir la vie afin de générer de la bonne fortune, de satisfaire votre curiosité et votre sens du service, de sortir des schémas répétitifs de façon à vivre votre propre vie dans un cycle totalement nouveau, d'utiliser des nombre s et des symboles, d'expérimenter des outils et des techniques, d'être en lien avec des plantes ou des animaux, de respecter une certaine hygiène de vie ou de générer de la bonne santé, de tenter votre chance et de prendre les choses en main dès que c'est possible, d'avoir conscience de vos besoins et de la Nécessité et tout cela afin de vous adapter intelligemment à votre environnement et afin de faire tourner la roue du destin ou de la vie dans le bon sens.

Vous êtes particulièrement capable d'exprimer toutes ces qualités dès lors qu'il s'agit de définir des objectifs, de vous donner les moyens pour les atteindre, d'entreprendre, d'oser, d'expérimenter sur le terrain, de vous affirmer, de vous mettre en valeur, d'être opérationnel et efficace, de vous battre et de réussir votre vie. Cela fait de vous une personne particulièrement bien adaptée au monde de la matière. La difficulté du nombre 10 est qu'il donne une tendance à penser en permanence et à vous faire croire que c'est un état normal alors que seule une présence intense et centrée dans le cœur et dans votre corps tout entier vous permet de réellement prendre conscience de qui vous êtes. Il est donc important pour vous d'être le maître de votre intelligence et de savoir débrancher votre super cerveau quand cela est juste afin d'accéder à votre être intuitif authentique. Vous risquez sinon d'être englué(e) dans des schémas répétitifs. Il ne dépend alors que de vous pour effectuer un travail sur vous-même afin que s'exprime uniquement ce qu'il y a de meilleur en vous.

Pour une personne née le 11 ou le 29 du mois : Le nombre 11 représenté par l'image de la Force en maison 1 :

Pour avoir confiance en vous, vous affirmer, fonctionner correctement, être efficace et vous sentir fort(e), vous avez besoin d'être bien centré dans votre cœur et dans votre corps, de faire ce que vous aimez et d'aimer ce que vous faîtes, que ça soit comme vous voulez, d'être engagé, d'aimer et de vous sentir aimé(e) et mis(e) en valeur, d'être intensément présent en toute situation, de relations privilégiées, d'incarner la vision de la meilleure version de vous-même, de traduire cette vision en un idéal, des valeurs, des repères bien définis et des objectifs pertinents puis de vous organiser efficacement avec les moyens nécessaires, d'affirmer votre volonté et votre créativité et de lutter jusqu'à la victoire.

Vous vous présentez comme une personne digne et qui a du cœur, qui est à la fois calme mais aussi énergique, passionnée et vibrante, tel un fauve prêt à bondir. Vous êtes une personne intensément présente à ce qui est, très observatrice, bien centrée dans son corps, dans son cœur, franche et sincère, solide, efficace et fiable, dotée d'une force intérieure et d'une puissante volonté, à la fois très liée aux autres et capable de travailler en équipe ou en groupe mais aussi très autonome. Vous montrez aussi que vous êtes une personne qui est très sensible à son image et à tout rapport de forces et qui est soucieuse d'être maîtresse de sa nature animale, de ses instincts et de toutes situations, de préférence dans l'harmonie et sans contraintes. Vous savez accorder vos idéaux à vos moyens et mobiliser toutes vos forces pour atteindre vos objectifs clairement définis. Votre générosité est sans limite à l'égard de ceux qui ne heurtent pas vos convictions. Mais vous supportez mal la contradiction, l'erreur ou l'échec. Vous avez une certaine tendance à affirmer avec force ce que vous considérez être comme la vérité absolue.

Vous prenez conscience de votre identité à travers l'action, les réalisations, l'expression de votre volonté et votre engagement, à travers l'affirmation de votre force, de votre créativité et de votre présence, à travers un combat, des situations de concurrence et la nécessité de faire vivre une entreprise mais aussi à travers des objectifs, en véhiculant des valeurs et un certain idéal, en favorisant des prises de conscience, en exprimant votre volonté, en devenant un centre rayonnant, une source de force et de conscience et en exprimant la force de l'amour.

Dès lors qu'il s'agit d'entreprendre, d'expérimenter sur le terrain, de vous affirmer, de vous mettre en valeur, d'être opérationnel(le) et efficace ou de travailler dans une entreprise, vous avez le besoin et la capacité d'être centré(e) et totalement présent(e) dans votre corps et dans votre cœur, d'être relié(e) à votre force d'amour, à la force de l'évidence, à la Source et à ce calme vibrant d'où émerge ce qu'il est nécessaire d'être et de faire, d'avoir une vision claire et des buts pertinents, de définir vos repères, vos objectifs de progrès, votre organisation et vos moyens de réussite. Vous avez ensuite besoin de trouver puis d'organiser les ressources nécessaires et enfin d'exprimer avec harmonie votre puissante volonté, votre pouvoir de décision, votre créativité, votre capacité d'engagement, votre intelligence, votre force de travail, votre puissance et le meilleur de vous-même, jusqu'à obtention du résultat nécessaire et de la réussite. Cela vous confère une conscience aigue de ce qui est requis à chaque instant, une confiance en vous et en vos moyens, un esprit de synthèse, des capacités à diriger ainsi qu'un esprit conquérant voire dominateur, qui entend être maître de soi et mener sa barque à sa manière. Cela vous permet de faire preuve de courage, de faire le lien entre la matière et l'esprit, de maîtriser vos pulsions, votre énergie et les situations qui se présentent à vous, d'exprimer votre sexualité harmonieusement, d'exprimer la puissance de l'amour en conciliant le pouvoir et l'amour, de transformer les événements, d'améliorer ce qui doit l'être, de faire toujours de votre mieux, de maîtriser une discipline, de générer du progrès, de l'autonomie et de la conscience et de mettre votre force au service de la vie. Votre capacité d'engagement et votre dynamisme vous permettent ainsi le plus souvent d'atteindre une réussite honorable.

Si ce nombre n'est pas correctement intégré, vos faiblesses éventuelles peuvent alors être un entêtement et une rigidité exacerbés, un orgueil démesuré, un complexe de supériorité ou d'infériorité, une tendance à vous situer toujours en dominant exerçant une autorité sur un dominé, des réactions autoritaires génératrices de tensions, une adhésion à des modèles et des objectifs excessivement axés sur le matériel, une tendance à être trop transparent(e) dans vos intentions et décisions, une tendance à être excessivement centré(e) sur vous-même dans un égoïsme narcissique, à vivre en conséquence dans un monde solitaire où dans des rapports de force systématiques avec autrui et à vouloir toujours prendre position et contrôler les choses au lieu de laisser se dérouler ce qui est avec fluidité. Pour avancer sur votre chemin, vous devez alors transformer vos croyances en effectuant des prises de conscience sur la nature et le rôle de l'Amour, du centrage dans le corps et dans le cœur, de la présence, de l'autonomie et du lien, ce qui passe par un travail pour avoir pleinement conscience de votre corps, de votre force, de votre cœur, de vos repères, vos valeurs, vos objectifs, vos stratégie de réussite, votre aptitude à créer des relations harmonieuses et votre capacité à aimer. Vous êtes ainsi peut-être venu sur terre pour sortir du conflit et de la dualité, pour conquérir votre autonomie et aider autrui à conquérir la sienne, pour exprimer votre spécificité, votre puissance, votre lumière et ce que vous dicte votre cœur, pour utiliser votre force constructivement en la mettant au service de la vie et pour vivre des relations intimes dans l'harmonie afin d'être une personne libre, joyeuse et heureuse. Il ne dépend alors que de vous pour effectuer un travail sur vous-même afin que s'exprime uniquement ce qu'il y a de meilleur en vous.

Pour une personne née le 12 du mois : Le nombre 12 représenté par l'image du Pendu en maison 1 :

Pour avoir confiance en vous, vous affirmer, fonctionner correctement, être efficace et vous sentir fort(e), vous avez besoin de fluidité, d'être libéré de votre arbre généalogique, de vos vies passées, des croyances et des liens de fidélité qui vous retiennent et qui vous empêchent d'avancer, de faire appel à la force de vos ancêtres, de vous fier à votre intuition et à votre ressenti et d'être inspiré, de donner du sens, d'inverser vos points de vue quand ils sont inadaptés, de vivre selon des valeurs spirituelles qui vous permettent d'accéder à la transcendance et d'agir selon des lois spirituelles, de sortir de la souffrance et de la victimisation et d'accéder à l'enchantement.

Vous vous présentez comme une personne pleine d'émotions, ayant un sixième sens ou une vision spirituelle, ayant la foi, détenant un savoir ancestral, spirituel ou un savoir capable de soulager les souffrances et les misères du corps, de l'âme et du monde, de délivrer les âmes de leurs souffrances, de dénouer les situations, de participer à une action collective ou d'être intégrée dans une collectivité, de lâcher prise, de vivre sans attentes, d'accepter les gens et les situations comme elles sont, de s'évader des réalités et parfois d'accéder à d'autres réalités ou à la transcendance. En avez-vous conscience ?

Dès lors qu'il s'agit d'entreprendre, d'expérimenter sur le terrain, de vous affirmer, de vous mettre en valeur, d'être opérationnel(le) et efficace ou de travailler dans une entreprise, vous êtes particulièrement capable de vous fier à votre intuition et à votre ressenti, de ressentir l'ambiance et l'énergie vibratoire du lieu, d'être inspiré(e), de vous glisser dans le flot des événements comme un poisson dans l'eau, de vivre en fusion émotionnelle ou en symbiose avec la situation et les personnes qui la composent mais aussi de prendre un certain recul, de vous situer au-delà du matériel et de donner du sens et de vous laisser porter par les courants du hasard. Vous avez besoin d'avoir la foi et d'exprimer la force de la foi, de faire preuve de dévotion, de charité, de compassion et d'amour inconditionnel, de pardonner, d'intégrer des valeurs spirituelles et d'agir selon les lois spirituelles, de découvrir le sacré en vous et dans la situation, de faire appel à la force de vos ancêtres, de vous libérer de votre arbre généalogique et de vos vies passées, de vous libérer des croyances qui vous retiennent et qui vous empêchent d'avancer, de vous délier, d'inverser vos croyances et de changer vos points de vues quand ils sont inadaptés, d'attendre le bon moment, de vous dévouer à une cause ou à une institution, de soulager les souffrances et les misères du corps, de l'âme et du monde, de générer de la fluidité et de créer de la magie et de l'enchantement là où vous êtes.

Vous tendez à agir en fonction de détails subtils souvent imperceptibles pour autrui, en fonction de votre feeling et de votre ressenti, en fonction d'une logique qui vous est propre et qui le plus souvent n'est pas rationnelle; ce qui rend votre efficacité très particulière, comme si vous modifiez l'espace des possibles pour qu'il réponde à vos objectifs. Vous avez d'importantes capacités à prendre de la distance par rapport aux normes en place et aux modèles de société ou d'éducation, préférant vous forger votre propre religion ou votre morale personnelle aux vérités qui semblent établies. Vous avez une certaine tendance à laisser les choses se faire au hasard, à vivre au jour le jour, à suivre les initiatives des autres ou à vous laisser guider votre intuition et votre ressenti.

Il vous faut quelquefois suivre des chemins divers et variés avant de trouver votre voie et vous avez parfois besoin d'être guidé(e), d'être encadré(e) et d'être rassuré(e). Votre sensibilité hors du commun vous permet parfois de vous brancher sur l'inconscient collectif et d'en extraire des informations.

Vous pouvez avoir des facilités pour vous évader après avoir rempli vos obligations et pour vous créer un monde de rêve quand les temps sont trop durs.

Vous pouvez acquérir et développer votre sens de l'identité en utilisant la force de la foi et vos facultés magiques, à travers la méditation ou une pratique spirituelle ou religieuse, en élargissant votre conscience pour accéder à des vérités spirituelles, en intégrant votre hypersensibilité dans vos expériences personnelles, en participant à une grande entreprise collective ou à dimension internationale ou en développant les valeurs de charité, de foi, d'abnégation et d'Amour. Vous pouvez vous épanouir dans des activités en rapport avec le domaine médical ou para médical, la religion et l'ésotérisme, les sciences occultes, l'image, l'émotion, l'utilisation de systèmes d'informations ou des métiers sociaux.

Vous pouvez accroître la force et l'efficacité du nombre 12 en développant vos capacités analytiques et votre sens du discernement, en utilisant votre intelligence technique, votre sens commercial et vos capacités d'adaptation pour faire tourner la roue de la vie, en gérant l'information avec précision, en sachant vous organiser avec habileté et en effectuant des stages pratiques de développement personnel.

Si ce nombre n'est pas correctement intégré, vous pouvez parfois apparaître comme une personne un peu perdue, confuse, incohérente, désordonnée, chaotique, compliquée, bizarre, étrange, souffrante ou bloquée dans des schémas généalogiques répétitifs que vous devez désamorcer. Vos faiblesses éventuelles peuvent alors être une tendance à vous complaire dans le flou et la clandestinité, à nourrir des souffrances, à vous embarquer dans des galères ou dans des situations embrouillées, un certain pessimisme et un côté plaintif, une tendance à fuir la réalité dans des mondes imaginaires, à vous faire des illusions et à manquer de dynamisme, d'organisation, de réalisme et de sens pratique, une tendance à trop dépendre du hasard ou de l'assistanat pour faire avancer les choses et parfois une tendance à vous laisser endoctriner dans des systèmes de croyances ou des pratiques religieuses ou spirituelles plus ou moins saines. Il ne dépend alors que de vous pour effectuer un travail sur vous-même afin que s'exprime uniquement ce qu'il y a de meilleur en vous.

Pour une personne née le 13 du mois : Le nombre 13 représenté par l'image de l'nombre sans nom en maison 1 :

Pour avoir confiance en vous, vous affirmer, fonctionner correctement, être efficace et vous sentir fort(e), vous avez besoin d'exprimer une sensibilité extrême capable d'accéder aux profondeurs de votre inconscient, de celui des autres et de celui de l'humanité, d'exprimer une perception de l'invisible, une lucidité et de travailler avec des énergie subtiles ou des rayons X, d'agir en fonction de détails subtils souvent imperceptibles pour autrui, de travailler sur des structures (articulations, os, dents, structures énergétiques et blessures d'âme), de dépasser vos blessures et vos traumatismes, de lutter avec acharnement pour transformer ce qui doit l'être, de transformer radicalement les êtres et les événements, de provoquer des changements et une restauration de la vraie sécurité, de transformer ce qui doit l'être en agissant sur les causes, de gérer ou résoudre des angoisses, des difficultés, des crises, des conflits, des problèmes, des questions d'assurance ou des situations en lien avec la sécurité, de vous régénérer rapidement après une expérience pénible tel le phœnix qui renait de ces cendres et d'être initié à quelque chose. Vous avez aussi besoin de traiter, purifier, dépolluer, éliminer et évacuer des toxines et les déchets physiques ou psychologiques, de faire rase table du passé, de faire le deuil, de terminer ce qui doit l'être et de balayer ou abandonner ce qui n'est plus nécessaire et de renoncer à ce qui doit l'être, de développer une relation consciente avec l'au-delà et de prendre conscience de votre identité éternelle, d'être éveillé à l'au-delà et d'accompagner les mourants telle une personne passeuse d'âme, d'accompagner des personnes en crise, en transition ou en recherche d'emploi, de sortir de la douleur et de la dévalorisation pour passer à l'expression de vos passions, d'initier autrui à ce qui leur est inconnu, forger des produits finis à partir de matières premières et de vivre une vie authentique.

Naître le 13 implique le plus souvent soit une histoire personnelle ou des mémoires que vous portez en vous, dans lesquelles il y a eu un désastre, une rupture, un traumatisme ou un décès brutal plus ou moins bien accepté ; soit des choix spécifiques de transformations profondes effectués avant la naissance, soit un lien particulièrement fort avec une personne décédée qui vous permet d'être connecté(e) à l'au-delà, soit une structure psychologique caractérisée par l'absence d'écrans entre le monde de la matière et les mondes invisibles, ce qui rend capable de ressentir, de percevoir et parfois de révéler certaines réalités invisibles et certaines énergies subtiles, tel un appareil à rayons X aux pulsations rythmiques. Votre personnalité et votre vie dépendront alors la façon dont vous gérez ces différents éléments. Vous pouvez et devez acquérir et développer votre sens de l'identité en vous positionnant par rapport à votre vie éternelle, celle qui se poursuivra lorsque votre corps physique redeviendra poussière. Vous vous présentez comme une personne secrète et mystérieuse, authentique et captivante, au regard profond et perçant, dotée d'une force magnétique, d'un certain pouvoir personnel, d'une très grande intensité émotionnelle et d'une sensibilité extrême capable d'accéder aux profondeurs de votre inconscient, de celui des autres et de celui de l'humanité.

Vous êtes capable de vivre une sorte d'échange médiumnique avec votre milieu, de voir derrière les apparences, de pressentir les non-dits, les sous-entendus, les craintes et les angoisses non exprimées, de flairer et détecter les tensions, les risques, les failles, les difficultés, les rapports de force, les dangers et les enjeux présents dans la situation, de déceler les causes de ce qui existe dans l'instant présent, de décoder les signes et les symboles, d'élucider les énigmes, de révéler à chacun(e) sa problématique, d'exprimer ce qu'il y a dans votre code génétique, d'assurer la sécurité, d'aller au fond des choses, de percer les mystères de la vie et de la mort, d'aller explorer l'au-delà, à travers les sorties hors du corps ou les rêves lucides, de voir les fantômes et certaines entités du monde invisible, de vous situer par rapport à l'éternité et de vous métamorphoser petit à petit afin de vivre votre vérité profonde et de réintégrer votre dimension éternelle. En avez-vous conscience ?

Vous avez d'importantes capacités pour vous émanciper de votre environnement en prenant de la distance par rapport aux normes en place et aux modèles de société ou d'éducation, préférant vous forger votre propre identité loin des opinions et vérités qui semblent établies. Parce que vous avez besoin d'authenticité et de vivre intensément, vos réactions sont parfois dures et peuvent manquer de tendresse, de pitié, de diplomatie et de bonté envers les personnes qui sont dans la fiction, qui jouent, qui sont paresseuses ou qui ne sont pas à 100%. Vous ne vous embarrassez en général guère des sentiments d'autrui et méprisez facilement la médiocrité.

Si ce nombre n'est pas correctement intégré, vous pouvez alors parfois apparaître, par exemple, comme une personne angoissée, tourmentée, torturée, compliquée, louche, malsaine, insipide, bloquée dans des schémas destructeurs que vous devez désamorcer, dans des habitudes néfastes que vous devez éliminer, dans des toxines physiologiques ou psychologiques que vous devez évacuer, dans un besoin excessif de rupture et de transformations ou dans des excès que vous devez rééquilibrer, toujours en guerre où toujours en train de nourrir des tensions et des crises plus ou moins violentes et ayant un gout pour les drames, les tragédies, les sinistres et les désastres. Vos faiblesses éventuelles peuvent alors être une tendance à trop focaliser sur les problèmes et les difficultés, à vous complaire dans le secret, la clandestinité, la négativité, la laideur, l'agressivité, l'ignorance, l'aveuglement, la stupidité, le rejet, l'exclusion, la misère, la douleur et un refus d'être en vie. Il ne dépend alors que de vous pour effectuer un travail sur vous-même afin que s'exprime uniquement ce qu'il y a de meilleur en vous. Vous pouvez accroitre la force et l'efficacité du nombre 13 en acceptant de cheminer et d'apprendre, en sachant vous intérioriser, être en silence, méditer et aller au-delà du vide, en allant en profondeur, en nommant ce qui doit l'être quand c'est nécessaire, en recherchant l'honnêteté, la qualité et la paix intérieure, en faisant le chemin nécessaire pour accéder à votre vérité profonde, en vous laissant guider par votre lumière intérieure, en apprenant à construire, en vous posant les bonnes questions, en prenant votre temps, en sachant gérer des chantiers et voir les choses à long terme, en comprenant que vous pouvez avancer uniquement si vous vous transformez, si vous allez à l'intérieur de vous, si vous prenez conscience des structures de « La Réalité » et si vous apprenez à conformer votre vie aux nécessités du développement spirituel. La méditation et la marche peuvent vous faire du bien.

Pour une personne née le 14 du mois : Le nombre 14 représenté par l'image de la Tempérance ou de l'Ange en maison 1 :

Pour avoir confiance en vous, vous affirmer, fonctionner correctement, être efficace et vous sentir fort(e), vous avez besoin d'être « connecté » avec des gens, des informations ou des réseaux d'informations, d'incarner la volonté de la Source de toute vie ou de l'univers, de promouvoir des valeurs humaines, d'utiliser votre intelligence psychologique ou technologique afin de jouer un rôle dans le monde moderne, de travailler en réseau ou d'animer un groupe, de gérer des informations, de réparer ce qui doit l'être, de trouver des solutions, d'aider les autres, d'apporter du progrès et de l'espoir et de créer un monde meilleur. Vous avez aussi besoin de gérer des projets complexes, de maîtriser des technologies, de conseiller et de guider autrui en indiquant le chemin à suivre, de vous adapter à l'inconnu, à l'imprévu et à la vie moderne, de créer un espace afin de permettre à la nouveauté et à la régénération d'exister dans votre vie, d'exprimer votre spécificité et l'Ange qui est en vous, de vous sentir libre et enfin de vivre libre et heureux et dans la joie.

Cela implique d'exprimer votre remarquable intelligence qui est à la fois logique et intuitive, technique et psychologique, d'être une personne multidimensionnelle et polyvalente, atypique et paradoxale, humaine et fraternelle, à la fois douce et dynamique, tranquille et très vive d'esprit, de communiquer clairement en vous synchronisant avec autrui, de vous libérer des influences familiales et sociales, de vous relier à l'espace, au temps, à l'énergie de vie, à l'univers et à l'ordre universel qui sous-tend toute vie, d'avoir conscience de la Nécessité, de cultiver un état de calme intérieur joyeux et vibrant, de savoir passer d'un état à un autre, de gérer des transitions, de faire appel à des schémas, des concepts et des idéologies, de transférer de la lumière et des informations, d'être autonome et libre de toute dépendance, d'être à l'écoute des coïncidences et des synchronicités mais aussi de les créer et enfin d'harmoniser et de guérir ce qui doit l'être.

Vous vous présentez comme une personne multidimensionnelle, atypique, paradoxale, humaine, fraternelle, très attachée aux valeurs de liberté et dotée d'une remarquable intelligence à la fois logique et intuitive, à la fois technique et psychologique. Vous vous présentez comme un être à la fois doux et dynamique, tranquille et vif, conciliant et pertinent, équilibré, naturel, angélique, sincère, pouvant communiquer avec une grande pureté de cœur, avec bonté et vérité, libre de toute dépendance, capable d'apporter des messages et des solutions là où il y en a besoin mais aussi de gérer des projets complexes. En avez-vous conscience ? Vous pouvez acquérir et développer votre sens de l'identité en vous intégrant dans un groupe ou un réseau, en aidant votre prochain et en prenant conscience que vous êtes un être fait d'amour et un électron libre intégré dans un flux lumineux. Avez-vous conscience que l'on vous perçoit comme un Ange ?

Si ce nombre n'est pas correctement intégré, vous pouvez parfois apparaître comme une personne d'un autre monde, planante, utopiste, cérébrale, artificielle, imprévisible, asexuée, indifférente, effacée, impersonnelle, paresseuse, excessivement nerveuse ou au contraire apathique, totalement dépendante de ses pensées, de son cerveau, de ses programmes intérieurs et de ses illusions. Vous pouvez parfois donner l'impression que vous n'êtes pas là car étant multidimensionnel, vous être capable de penser à plusieurs choses à la fois et d'être relié(e) à d'autres choses que l'instant présent ! Vos faiblesses éventuelles peuvent être une tendance à abandonner par peur d'être abandonné(e) où inversement à vous comporter comme un Saint-Bernard au détriment de votre évolution personnelle, à être trop préoccupé(e) par vos relations amicales, votre groupe ou votre réseau au point de négliger votre bien-être personnel, à manquer de fluidité, d'autorité, d'énergie et de réalisme, à être déconnecté(e) de votre corps, de vos désirs et des réalités matérielles, à nourrir des situations de dépendance envers des habitudes ou des personnes et à être victime du fantôme de la liberté. Il ne tient qu'à vous de faire le choix d'incarner le côté positif du nombre 14.

Pour une personne née le 15 du mois : Le nombre 15 représenté par l'image du Diable en maison 1 :

Pour avoir confiance en vous, vous affirmer, fonctionner correctement, être efficace et vous sentir fort(e), vous avez besoin d'être passionné, de faire ce qui vous passionne et d'être passionné par ce que vous faîtes ou par votre vie, de gérer le côté obscur de la nature humaine, de prendre en compte et gérer le saboteur qui existe en vous, de gérer et de transcender vos peurs et vos angoisses, vos blessures ou vos traumatismes, de lutter avec acharnement pour atteindre vos objectifs, de jouir du monde de la matière, c'est-à-dire de gagner de l'argent et de le dépenser, de vivre une vie sexuelle épanouissante et d'exprimer votre pouvoir en le mettant au service de la vie. Vous avez également besoin de gérer des crises, des conflits, des problèmes, des situations complexes et chargées en émotions ou des questions de sécurité, de travailler avec du métal ou des objets en métal, d'être une personne audacieuse qui n'a peur de rien, de tenir compte de tous les paramètres, dont ceux qui sont occultés, d'aller au fond des choses et de maîtriser les situations.

Cela implique de résoudre vos difficultés, de traiter et d'éliminer les toxines et les déchets physiques ou psychologiques qui vous polluent la vie, de maîtriser vos émotions, de maîtriser et exprimer votre énergie, vos instincts, vos pulsions et vos passions, de vivre pleinement et sainement votre sexualité, de résister aux pressions extérieures, de vous fier à votre flair et à votre instinct, de faire preuve d'audace et de combativité, d'être offensif et agressif, de braver le danger, d'assurer la sécurité des personnes, des biens et des lieux, d'enchainer ou de déchainer ce qui doit l'être mais aussi de briser ce qui vous enchaine, de vous régénérer rapidement après une expérience pénible tel le phœnix qui renait de ces cendres, d'utiliser les failles et les faiblesses des autres, d'exploiter les points faibles de toute situation, de faire preuve d'une redoutable intelligence stratégique teintée d'une grande ténacité, de générer de profondes transformations, de transformer les êtres et les événements, de forger des produits finis à partir de matières premières et d'initier autrui à ce qui leur est inconnu. Dès lors qu'il s'agit d'entreprendre, d'expérimenter sur le terrain, de vous affirmer, de vous mettre en valeur, d'être opérationnel et efficace ou de travailler dans une entreprise, vous êtes particulièrement capable de vivre une sorte d'échange médiumnique avec votre milieu, de voir clairement derrière les apparences et dans l'obscurité, de pressentir les non-dits, les sous-entendus, les craintes et les angoisses non exprimées, de flairer et détecter les tensions, les risques, les failles, les difficultés, les rapports de forces et les enjeux présents dans la situation, de déceler les causes de ce qui existent dans l'instant présent, de fonctionner à l'instinct, au flair, en fonction de vos pulsions et emmener autrui là où vous voulez aller. Et quand vous voulez quelque chose ou quand vous avez décidé quelque chose, c'est parfois plus fort que vous parce que vos décisions se font en fonction de vos pulsions inconsciente ou de votre vouloir le plus profond, pour le meilleur ou pour le pire. Avec vous, on ne sait donc pas forcément où l'on va ! Vous avez tendance à refuser les modèles, à n'accorder que peu d'importance au monde des apparences et aux valeurs socioculturelles, pouvez avoir un coté individualiste et une tendance à suivre votre voie personnelle sans rien devoir à personne. Vous vivez en vous une tension intérieure volcanique qui peut se traduire par une puissante combativité, une volonté acharné, beaucoup d'agressivité et un caractère difficile. Vous avez besoin de vivre intensément.

Vous vous présentez comme une personne magnétique, passionnée, instinctive, intense, énergique, intrépide, audacieuse, extrêmement lucide, secrète, mystérieuse, authentique, captivante, avec parfois un esprit malin ou coquin, voire un peu manipulateur. Vous montrez que vous avez un regard profond et perçant, un puissant pouvoir de séduction et d'influence, une très grande intensité émotionnelle, une sensibilité extrême capable d'accéder aux profondeurs de votre inconscient, de celui des autres et de celui de l'humanité. En avez-vous conscience ? Si votre nombre 15, représenté par la carte du Diable, n'est pas correctement intégré et vécu d'une façon positive, en conscience, votre besoin de contrôle se traduit parfois par de la possessivité, par des obsessions, par de l'avidité et par de la gloutonnerie. Il peut parfois vous entrainer dans des situations compliquées, stressantes voire glauques. Votre puissante agressivité vous permet certes de lutter dans l'invisible et peut vous rendre expert dans l'art des guerres psychologiques mais elle finit toujours par se retourner contre vous. Vos faiblesses éventuelles peuvent alors être une tendance à vous complaire dans le secret, la clandestinité, la négativité, l'agressivité, l'ignorance, l'aveuglement et la stupidité, le rejet, l'exclusion, les blessures, la misère et la douleur et un refus d'être en vie. Vous pouvez alors parfois apparaître, par exemple, comme une personne toujours en guerre, angoissée, tourmentée, torturée, compliquée, louche, malsaine, insipide, perverse, sadique, machiavélique, enchainée par vos mensonges, bloquée dans des schémas destructeurs que vous devez désamorcer, dans des habitudes néfastes que vous devez éliminer, dans des toxines physiologiques ou psychologiques que vous devez évacuer ou dans une tendance à nourrir des tensions, du désespoir, de la haine et des crises plus ou moins violentes. Quand vous parvenez à intégrer votre côté obscur et à faire la paix avec vous-même, vous devenez un être passionnant capable d'exprimer une grande puissance et de révéler tous les mystères. Vous mettez alors votre pouvoir au service de la vie. Vous pouvez accroitre la force et l'efficacité du nombre 15 en apprenant à vous valoriser, en développant votre motivation, en vous donnant l'autorisation de vivre le meilleur de vous-même, en ayant un but clair et une direction qui vous permettent de canaliser votre énergie, en orientant vos passions, en ayant une activité professionnelle qui vous passionne et en apprenant à gérer des projets qui mettent votre puissant pouvoir au service de la Vie.

Pour une personne née le 16 du mois : Le nombre 16 représenté par l'image de la Maison Dieu en maison 1 :

Pour avoir confiance en vous, vous affirmer, fonctionner correctement, être efficace et vous sentir fort(e), vous avez besoin de préserver une certaine liberté d'action, d'être enthousiaste, de travailler sur des structures ou des systèmes d'information complexes, de gérer de l'immobilier ou des chantiers, de générer des changements de structures, de vous projeter dans l'avenir, de concrétiser vos projets et de gérer des projets complexes. Vous avez à certains moments besoin de vous intérioriser, de vous concentrer, d'être en silence, de vous libérer du carcan du mental, de vous isoler, d'être dans un état de détachement, de vous barricader dans votre tour, de vous relier à l'ordre universel qui sous-tend toute vie, de prendre en compte la « Nécessité », d'accéder aux vérités spirituelles, d'être en harmonie avec l'ordre cosmique, de cultiver un état de calme intérieur joyeux et vibrant, d'avoir des inspirations soudaines, d'agir selon vos intuitions, de vivre selon vos propres convictions et votre spécificité, d'intégrer Dieu dans votre vie et d'expérimenter l'illumination. Vous avez à d'autres moments besoin de faire sortir les choses de vous, de faire jaillir votre énergie d'une façon canalisée avec puissance et enthousiasme, de faire tomber les murailles, de briser les chaines, de vous libérer des influences familiales et sociales, de totalement déstructurer, démolir, faire exploser, bouleverser, révolutionner et guérir l'ordre établi et ce qui dois l'être, d'être intérieurement libéré des influences des structures, de libérer par la parole, de rompre avec le passé puis de transformer les êtres et les situations, en générant des prises de conscience et en apportant une vision nouvelle. Vous avez besoin d'utiliser votre intelligence technique, organisationnelle ou psychologique pour réparer ce qui doit l'être, trouver des solutions, innover, faire progresser la situation et créer un monde meilleur, de vous organiser avec une grande efficacité, pour faire face à l'inconnu et à l'imprévu, faire des réformes visant à améliorer les situations, pour utiliser et maîtriser des technologies modernes, travailler en groupe ou en réseau, maîtriser les situations et vous adapter au monde moderne et à ses structures complexes d'informations.

Vous vous présentez comme une personne paradoxale, multidimensionnelle, libératrice et dotée d'une grande intelligence, qui est tantôt solitaire, silencieuse, calme, intériorisée voire retirée dans sa tour d'ivoire, concentrée, traditionnelle, très structurée, réfléchie, souvent en questionnement et quelque part à la recherche de Dieu puis qui est tantôt électrique, surprenante, pertinente, imprévisible, énergique, bouillonnante, impatiente, moderne, capable d'abaisser ses barrières, d'augmenter brusquement sa tension intérieure et d'être au bord de l'explosion tel un bâton de dynamite. En avez-vous conscience ?

Vous pouvez accroître la force et l'efficacité de la Maison Dieu en exprimant ce que vous ressentez, en apprenant à faire des choix correspondant à vos vrais désirs, en recherchant un nouvel équilibre, en développant des qualités d'amour, en créant des relations harmonieuses avec les autres, en vous engageant dans un projet et en cultivant l'énergie de la douceur, de l'harmonie et du bien-être. Vous savez être présent(e) extérieurement tout en étant détaché(e) intérieurement, quitte à paraître indifférent(e). Votre besoin de liberté et d'indépendance vous pousse à vous dégager des modèles familiaux, des conditionnements socioculturels, des préjugés et des mythes, des structures rigides et de tout ce qui pourrait vous entraver. Votre besoin de liberté vous rend ennemi de la routine et vous pousse à rechercher le changement et l'imprévu. C'est souvent en étant un intermédiaire entre l'univers et les hommes, en participant au progrès collectif, en vous consacrant à une cause impersonnelle visant à apporter un mieux être à vos semblables et aux générations futures ou en libérant et en délivrant votre être et les autres de l'esclavage de la peur, de l'ego, de la rigidité ou de la tyrannie, des contraintes intérieures et des pressions extérieures, de la routine et de la banalité que vous pouvez au mieux vous exprimer, vous affirmer et prendre conscience de votre identité. Vous avez souvent une façon très personnelle d'agir et un impact psychologique fort sur les autres. Vous aimez sortir des sentiers battus, suivre votre voie personnelle et ne pas faire comme les autres. Un paradoxe chez vous est que, malgré votre individualisme, votre dynamisme s'exprime plus facilement dans un cadre collectif, au sein d'un groupe, d'une association, d'une grande entreprise ou d'une multinationale qu'à travers des initiatives égoïstes et individuelles. Vous assumez parfois un rôle de sauveur, de St Bernard, de Zorro, de libérateur ou d'Ange gardien, rôle dans lequel vous êtes le (la) dominant(e) tendant la main au dominé.

Vous pouvez croire aux Anges parce que vous avez des preuves concrètes suite à vos expériences vécues et parce que vous vivez leur influence dans votre existence. L'espoir est une force qui vous fait vivre. Vous pouvez vous sentir exister lorsqu'il s'agit de provoquer chez autrui l'espoir, lorsque vous défendez des valeurs humanitaires ou démocratiques, une idéologie, les droits de l'homme ou les droits du travail et lorsque vous aidez autrui en leur apportant une vie meilleure ou en les libérant de leurs difficultés.

Votre capacité à intellectualiser les événements, à comprendre leur cause et leur sens, à saisir comment ce que chacun(e) porte à l'intérieur de son être engendre les événements équivalents dans le monde extérieur, ne vous font en général guère croire au hasard. Vous tendez à avoir la certitude que le ciel vous aidera si vous vous aidez vous-même. Et souvent, vos initiatives peuvent être secondées par des appuis, par des relations amicales et par des personnes rencontrées sur le chemin de la vie. Vous vous sentez néanmoins responsable de ce qui vous arrive et rendez facilement responsable autrui de ce qui leur arrive. Cela vous rend parfois dur(e), exigeant(e) et intransigeant(e) tant envers vous-même qu'envers autrui. Si ce nombre n'est pas correctement intégré, vous pouvez parfois apparaître comme une personne enfermée dans son monde ou dans une prison mentale, aveuglée par ses illusions, planante, utopiste, cérébrale, artificielle, imprévisible, asexuée, indifférente, effacée, impersonnelle, rigide, excessivement nerveuse, stressée, survoltée, explosive, gaffeuse, maladroite, ayant tendance à provoquer, choquer et secouer autrui, totalement dépendante de ses pensées, de son cerveau et de ses programmes intérieurs. Vos faiblesses éventuelles peuvent provenir d'une tendance à abandonner par peur d'être abandonné(e) où inversement à vous comporter comme un Saint-Bernard au détriment de votre évolution personnelle ou comme un ouragan qui balaie et foudroie tout sur son passage, à être trop préoccupé(e) par vos relations amicales, votre groupe ou votre réseau au point de négliger votre bien-être personnel, à manquer de fluidité, d'énergie et de réalisme, à être déconnecté(e) de votre corps, de vos désirs et des réalités matérielles, à nourrir des situations de dépendance envers des habitudes ou des personnes, à être victime du fantôme de la liberté, à provoquer des catastrophes ou encore des problèmes de langage et de communication. Il ne tient qu'à vous d'incarner le côté positif du nombre 16.

Pour une personne née le 17 du mois : Le nombre 17 représenté par l'image de l'Etoile ou de l'Etoile de Vénus en maison 1 :

Pour avoir confiance en vous, vous affirmer, fonctionner correctement, être efficace et vous sentir fort(e), vous avez besoin d'être proche de la nature, d'accéder à votre ciel intérieur (thème astral) et de le comprendre, d'avoir les ressources nécessaires, de gérer des ressources ou des approvisionnements, d'être à l'écoute de votre corps et de vos vrais désirs, d'être bien dans votre corps féminin ou avec les femmes, de voir l'aspect positif des valeurs féminines, d'aimer et de vous dévouer à une cause ou à une personne, de donner tout ce que vous pouvez et de savoir pardonner, de vous sentir beau ou belle et de voir la beauté en tout être, de décorer et d'embellir, de générer de la joie, de l'enchantement, de la beauté, de l'harmonie, du bonheur, de l'inspiration et de l'abondance là où vous êtes et de créer votre bonheur sur Terre. Vous avez aussi besoin de vous relever si vous avez été mis à genoux, d'exprimer votre sens de l'harmonie et vos capacités artistiques, d'avoir foi en la vie et de garder espoir, de croire en votre bonne étoile et de faire confiance au destin, de vous relier aux autres et de créer des liens avec autrui, d'exprimer votre intelligence sensorielle et relationnelle, de construire des relations sociales, de faire preuve de douceur et de gentillesse, d'attirer, de plaire et de séduire puis de conserver, de fonder un couple, d'exprimer votre sens esthétique, de coopérer et de partager, de générer de la fluidité, de produire quelque chose, d'apporter votre contribution à la vie voire une touche de magie et de grâce quand c'est possible et d'être en quelque sorte une fée ou une Star.

Vous vous présentez comme une personne bien incarnée dans son corps et dans la vie, à l'écoute de son corps et de ses désirs, kinesthésique, sensuelle, sensible, intuitive, pleine de vie et dotée d'un charme particulier. Vous montrez que vous êtes une personne souriante, ouverte, accueillante, harmonieuse, joyeuse, agréable, aimante, amicale, sincère, tolérante, avec une facette parfois joueuse et espiègle. Vous montrez que vous êtes capable d'apporter de l'espoir, de l'inspiration, de l'amour spirituel, de la joie et du bonheur dans le cœur des êtres. Il émane de vous une joie de vivre, une bonne humeur naturelle, beaucoup de douceur, une volupté, une sensualité et un certain charme. Cela permet à votre personnalité de s'exprimer avec grâce et élégance. Vous montrez que vous savez vous relier aux autres, partager, vous engager, être dans le service, trouver les bons compromis, que vous avez une intelligence affective, relationnelle et financière. Vous êtes très sensible à l'esthétique, à la beauté, à l'harmonie des formes, des nuances et des couleurs, à la vibration du plaisir et aux différentes volontés présentes dans toute situation.

Votre capacité à écouter vos vrais désirs vous permet de vous orienter d'après ce qui vous procure du plaisir et de la joie, de faire les bons choix, de créer des formes et d'agir en artiste pour faire de votre vie une œuvre d'art. En avez-vous conscience ? Dès lors qu'il s'agit de définir des objectifs, de vous donner les moyens pour les atteindre, d'oser, d'entreprendre, d'expérimenter sur le terrain, de vous affirmer, de vous mettre en valeur, d'être opérationnel(le) et efficace ou de travailler dans une entreprise, vous êtes particulièrement capable d'être à l'écoute de votre corps et de vos vrais désirs, d'utiliser vos cinq sens, d'être bien dans votre corps féminin ou avec les femmes, de réguler votre énergie, de ressentir les besoins et désirs d'autrui, de voir l'aspect positif des valeurs féminines, de bien vivre le plaisir, de consacrer du temps à des loisirs, de trouver votre équilibre ou de le préserver, de vous dévouer, de donner tout ce que vous pouvez et de savoir pardonner. Vous êtes aussi particulièrement capable d'être productif et de créer des richesses, de voir la beauté en tout être, de créer des liens avec autrui, de construire des relations sociales, d'utiliser votre intelligence sensorielle et relationnelle, de faire preuve d'harmonie, de douceur et de gentillesse, d'attirer, de plaire et de séduire, d'exprimer votre sens esthétique et artistique, de coopérer, de générer de la fluidité, d'approvisionner les ressources nécessaires, de gérer intelligemment les ressources présentes, de générer l'abondance et de participer à la civilisation.

Vous avez la capacité d'avoir une foi totale en la vie, d'embellir et d'harmoniser chaque situation voire d'y apporter une touche de magie et de grâce. C'est là où se trouve votre force. Vous aimez profiter des joies quotidiennes, vivre une vie harmonieuse, goûter à l'amour et aux plaisirs des sens mais aussi agrémenter votre existence à travers des sorties, des loisirs et une vie relationnelle riche et variée. Vous avez horreur des excès, des conflits, de la brutalité et tendez à tout faire pour éviter les confrontations. Vous êtes un apôtre de la non-violence et avez parfois du mal à dire non, par crainte des réactions d'autrui, par peur d'être rejeté(e) ou de décevoir.

Si ce nombre n'est pas correctement intégré, vous pouvez parfois apparaître comme une personne naïve, lente, incohérente, ignorante, esclave de ses peurs et de ses sens, soumise, ayant des difficultés à faire circuler l'énergie dans son corps, manquant d'énergie, de courage et d'enthousiasme, hyperémotive, excessivement décontractée, dilettante, abusant des plaisirs terrestres ou accordant trop d'importance à la forme, au corps ou aux relations. Une implication de vos sentiments dès lors que vous vous affirmez vous rend parfois peu efficace lorsqu'il faut lutter pour faire valoir vos droits face à des obstacles, lorsqu'il faut faire preuve de logique ou lorsqu'il faut prendre du recul. Avant de prendre un certain recul, vous obéissez parfois aveuglément à ce qui vous séduit et vous attire, à ce qui vous plaît ou vous déplaît et aux apparences. Il vous est nécessaire de trouver un équilibre entre l'énergie que vous consacrez à vous même et celle que vous consacrez aux autres et de ne pas faire dépendre votre bonheur ou votre existence des réactions d'autrui.

Pour une personne née le 18 du mois : Le nombre 18 représenté par l'image de la Lune en maison 1 :

Pour avoir confiance en vous, vous affirmer, fonctionner correctement, être efficace et vous sentir fort(e), vous avez besoin de vous sentir bien et que les choses soient fluides, d'exprimer votre enfant intérieur et d'être naturel, de rêver et de vivre vos rêves, de vie et de poésie, d'être inspiré et d'inspirer autrui, de sortir d'un mal-être, d'un chagrin d'âme, d'un stress émotionnel et d'accéder à un état de bien-être ou simplement d'être bien chez vous et donc peut-être d'être à l'écoute de vos ressentis, d'utiliser votre imagination créatrice, votre imaginaire, votre créativité et la force magique de la foi, de vous fier à votre intuition, de travailler sur l'eau et les mémoires, de tenir compte du passé et de faire appel à votre mémoire, de vous nourrir correctement sur tous les plans, de faire ce qui vous nourri, de vous sentir nourri et peut-être de nourrir les autres. Vous avez également besoin de clarifier ce qui doit l'être, d'exprimer vos émotions, de gérer vos préoccupations et vos angoisses, d'éviter toute surchauffe, de vous ressourcer, de préserver votre équilibre naturel, de vous occuper d'enfants ou d'un public, de raconter des contes ou des histoires qui stimulent l'imagination, de créer des liens émotionnels forts avec autrui, de créer des ambiances intimistes où chacun se sent bien, de veiller à votre bien-être personnel et au bien-être d'autrui, de créer ou perpétuer la vie, une vie familiale ou des traditions, de porter les choses jusqu'à leur éclosion et leur épanouissement, d'être mère ou d'assumer un rôle de mère, de faire preuve d'une douceur toute maternelle bref de prendre soin de vous, des autres et de la vie et de vivre selon vos rêves dans le bien-être, la joie et dans l'abondance.

Vous vous présentez comme une personne pleine de vie et d'émotions, sensible et toujours un peu inquiète, intuitive, parfois clairvoyante, naturelle, débordant d'imagination, intimiste, sympathique, rêveuse, mystérieuse, un peu poète, attachée à son passé, à ses traditions, à son foyer et à sa famille, vivant dans sa bulle, dans son univers et changeant souvent d'état d'âme. En avez-vous conscience ? Votre grande sensibilité et une sensation fréquente d'insécurité due à votre forte émotivité vous incite à vous créer un univers personnel, un cocon intime vous servant de valeur refuge vis à vis du monde extérieur. Vous pouvez ainsi être très attaché(e) à votre famille, à un cercle d'intime, à votre milieu natal et à vos origines. Vous situez d'ailleurs facilement votre identité à travers votre appartenance à tel clan, famille ou nation, à travers votre monde intime, vos origines ou votre milieu natal et vous n'avez pas toujours clairement conscience de qui vous êtes en tant qu'individu. Vous devez souvent faire un effort pour sortir de votre bulle familiale, pour vous adapter au monde extérieur et à la réalité qui peut être durement ressentie. L'expression de votre personnalité dans le monde est avant tout une affaire de sensibilité et d'émotions. Et vous pouvez être doué(e) pour servir de miroir à l'autre tel qu'il puisse se reconnaître à travers vous mais aussi pour susciter chez autrui des réactions émotionnelles de sympathie et d'attendrissement, ce qui vous permet souvent de vous faire pardonner vos étourderies. Vous pouvez aussi accroître la force et l'efficacité de la Lune en vous fixant des objectifs, en mettant en place l'organisation adaptée pour les atteindre, en développant votre logique, votre sens des valeurs et votre sens des limites, en apprenant à vous structurer et en vous engageant dans une démarche d'insertion professionnelle afin de canaliser votre émotionnel, par exemple dans des relations avec un public, dans un travail en lien avec les enfants et les femmes ou dans une activité en lien avec les valeurs refuges que sont les liquides, la musique, la maison, le foyer, l'alimentation, la vie et le vivant. C'est souvent en mettant votre aptitude à nourrir, à materner, à protéger, à gérer de l'argent et des ressources et à perpétuer la vie, en créant des liens émotionnels, en générant du bien-être et des ambiances intimes que vous donnez le meilleur de vous-même.

Si ce nombre n'est pas correctement intégré, vous pouvez parfois apparaître comme une personne stressée émotionnellement, lunatique, perturbée et instable, paniquant facilement à la moindre tension ou dès qu'un élément nouveau vient troubler votre quiétude, ayant tendance à vivre dans la rêverie tel un somnambule à moitié éveillé, prenant ses rêves pour la réalité, excessivement sensible et émotive, naïve, crédule et pleine d'illusions, lente, incohérente, ignorante, esclave de ses peurs et de ses sens, soumise, ayant des difficultés à faire circuler l'énergie dans son corps, manquant d'énergie, d'autonomie, de courage et d'enthousiasme, excessivement décontractée, dilettante, paresseuse, abusant des plaisirs terrestres, ayant des difficultés à se nourrir correctement, nourrissant des situations de dépendance ou accordant trop d'importance aux relations émotionnelles et à la famille au point d'avoir des difficultés à sortir du cocon familial.

Pour une personne née le 19 du mois : Le nombre 19 représenté par l'image du Soleil en maison 1 : Pour avoir confiance en vous et vous affirmer pleinement, vous avez besoin d'être bien centré dans votre cœur, de faire ce que vous aimez et d'aimer ce que vous faites, de vous engager à 100% et d'être la meilleure version de vous-même, d'y mettre tout votre cœur et votre amour, de vous mettre en valeur et de valoriser ce qui doit l'être, d'être visible et d'occuper un rôle central sur les devants de la scène voire de diriger et régner, de bien gérer votre image et votre réputation, d'avoir une vision ou un idéal, de traduire cet idéal en objectifs clairs et précis, de vous organiser avec efficacité en structurant ce qui doit l'être, d'exprimer avec joie votre puissante créativité, d'être une personne positive, chaleureuse, noble, digne, généreuse, lumineuse et loyale et de mobiliser toutes vos forces pour atteindre vos objectifs, réussir votre vie avec panache et rayonner comme un Soleil. Vous avez également besoin d'avoir confiance en vous, d'affirmer votre volonté, votre autorité et vos convictions, d'être opportuniste mais très réaliste, de vous imposer quand c'est nécessaire et de créer une situation d'entraide quand c'est possible, d'être autonome mais aussi de vivre des relations privilégiées, de trouver vos marques ou de travailler avec des grandes marques, de vous positionner clairement et d'aider ainsi l'autre à prendre sa place, de faire appel à des valeurs et à des principes, d'équilibrer votre masculin et votre féminin et de vivre dans la joie.

Dès lors qu'il s'agit d'oser, d'entreprendre, d'expérimenter sur le terrain, de vous affirmer, d'être opérationnel et efficace ou de travailler dans une entreprise, vous êtes particulièrement capable d'être bien centré dans votre cœur, de savoir ce que vous voulez, de trouver vos marques et des repères, de faire appel à des valeurs et à des principes, d'équilibrer votre masculin et votre féminin, de définir des objectifs précis, de vous donner les moyens pour les atteindre, de vous organiser, de vous mettre en valeur, d'être visible et d'occuper les devants de la scène, de gérer votre image et votre réputation, d'affirmer votre autorité et vos convictions, d'être opportuniste mais très réaliste, de vous imposer quand c'est nécessaire et de créer une situation d'entraide quand c'est possible, d'être optimiste, positif, digne, honorable, noble et majestueux, de réunir et rassembler tout ce qui est nécessaire, d'y mettre tout votre cœur et votre amour, de vous engager en faisant de votre mieux, de persévérer, d'être autonome, de créer des liens fraternels d'amour avec autrui et de travailler en équipe, de réussir et de rayonner. L'important pour vous est d'avoir clairement conscience de qui vous êtes, mais aussi d'avoir une vision claire de vos interlocuteurs, de la situation dans laquelle vous vous trouvez et du monde en général. Vous avez besoin pour vous affirmer de prendre clairement position, de repères, de grandes lignes directrices, d'un idéal et d'une certaine organisation. Inversement, ce sont vos expériences concrètes et ce que vous faites qui constituent vos principaux repères. Vous savez accorder vos idéaux à vos moyens et mobiliser toutes vos forces pour atteindre vos objectifs clairement définis. Cela vous confère une autorité naturelle, une confiance en vous et en vos moyens ainsi qu'un esprit conquérant voir dominateur qui entend être son propre maître et mener sa barque à sa manière. Quand vous êtes là, ça se sait. Vous aimez jouer un rôle central, vous montrer sur les devants de la scène, régner, diriger et prendre les choses en main, être sollicité, connu, reconnu, mis en valeur et admiré. Vous êtes soucieux de vous entretenir, de garder de nobles apparences et de préserver la sainte image que vous avez de vous-même. Si vous aimez vous comparer aux autres pour constater vos avantages, vous n'êtes en revanche pas très sensible à l'ambiance environnante ni à ce que pensent les autres. Vous êtes le plus souvent préoccupé par votre réussite personnelle et par des réalisations visibles, concrètes et reconnues par tous.

Si ce nombre n'est pas correctement intégré, vous pouvez parfois apparaître comme une personne arrogante, egocentrique, susceptible, mégalomane, rigide, manquant de vision, ayant un orgueil démesuré, un complexe de supériorité et une tendance à se situer toujours en dominant exerçant une autorité sur un dominé. Vous avez alors peut-être aussi tendance à croire que tout vous est du, à adhérer à des modèles et des objectifs contraires à l'évolution, à être trop transparente dans vos intentions et décisions, à être excessivement centré sur l'image et la parure, à vouloir systématiquement définir les règles, à prendre position de façon théâtrale dans toute situation nouvelle, à avoir des réactions autoritaires et à vous comporter en dictateur. Il ne dépend que de vous d'effectuer un travail sur vous-même afin que s'exprime uniquement ce qu'il y a de meilleur en vous. Quand ce nombre est bien intégré, vous êtes un(e) représentante du Soleil sur la Terre et vous aidez chaque personne à être la meilleure version d'elle-même, ce qui est le but suprême de tout Etre Humain.

Pour une personne née le 20 du mois : Le nombre 20 représenté par l'image du Jugement ou de la Résurrection en maison 1 :

Pour avoir confiance en vous, vous affirmer, fonctionner correctement, être efficace et vous sentir fort(e), vous avez besoin de sortir du tombeau des mémoires généalogiques et des vies passées pour vous donner une seconde chance et vivre une vie qui a du sens pour vous, d'apporter des messages qui génèrent des révélations, des transformations, une guérison, une libération, une régénération et une renaissance, qui apporte une vision nouvelle et ce par la parole, le son, l'image ou la vibration. Vous avez parfois besoin de gérer des projets complexes ou de maîtriser des technologies ultramodernes, d'annoncer, de communiquer, de diffuser et de propager l'information par la musique, la parole, l'écriture, la radio, la télévision ou le cinéma, d'apporter un enseignement et de vous adapter à la vie moderne. Vous avez besoin d'effectuer des prises de conscience, d'élever votre vision et d'incarner une vision multidimensionnelle, une vision thérapeutique, spirituelle ou une vision chamanique, de vous relier aux profondeurs de votre âme et de votre inconscient, d'écouter votre intuition et les messages de la vie, d'être toujours autant que possible dans l'instant présent, de percevoir les énergies invisibles et les vibrations, de vibrer à l'unisson de la musique, de prier et d'avoir la foi, d'avoir conscience du sacré au quotidien, d'avoir une parole juste et pertinente, de révéler ce qui doit l'être, de donner du sens, d'apporter de l'espoir, de vous adapter à l'imprévu, de vous renouveler en permanence, de secouer et bouleverser ce qui doit l'être, de libérer autrui, de permettre à chacun d'accoucher de lui-même, de ressusciter et d'avoir une seconde chance, de guérir le corps et l'âme par la parole, le son et l'action et en fin de compte d'éveiller les consciences. L'important pour vous est de révéler en vous et en chacun ce qui doit l'être puis de permettre aux situations d'accoucher, d'éclore, de fleurir, de s'épanouir ou de ressusciter afin qu'une vision nouvelle et une vie nouvelle prenne forme. Vous pouvez aussi accroître la force et l'efficacité du nombre 20 en apprenant à vous détendre, à vous nourrir correctement sur tous les plans et à vous ressourcer afin de prendre soin de votre bien-être et de la vie, en vous reliant à la terre-Mère et à la joie, en développant votre intelligence émotionnelle et votre fluidité, en gérant vos émotions, en apprenant à voiler et dévoiler ce qui doit l'être et notamment les secrets présents dans votre inconscient et dans vos mémoires, en apprenant à vous taire quand c'est juste, en ayant conscience des cycles et apprenant la patience, en vérifiant l'impact de vos paroles sur votre interlocuteur, en pratiquant la parole juste, en ouvrant votre cœur, en parlant avec votre cœur, en exprimant l'Eternel Féminin et l'amour maternel en vous et en trouvant les clefs permettant d'avancer. Vous vous présentez comme une personne positive, énergique, dynamique, enthousiaste, vibrante, intelligente, inspirée, pertinente, puissante, vivant intensément dans l'instant présent et doté d'une grandeur d'âme et d'un cœur généreux. Si ce nombre n'est pas correctement intégré, vous pouvez parfois apparaître comme une personne inadaptée, enfermée dans sa tombe, faisant la morte, englué dans des mémoires généalogiques ou des mémoires de vies passées, ne parvenant pas à accoucher d'elle-même, pas totalement incarnée, ayant tendance à croire que vous êtes la seule personne à détenir la vérité et à imposer vos idées comme des vérités suprêmes, ayant tendance aux commérages et à propager de fausses informations, à étouffer les autres ou à vous sentir étouffé, à mentir, à toujours critiquer et juger les autres selon ses propres critères limités, à attiser les conflits, à culpabiliser ou manipuler les gens, à nourrir un profond sentiment de culpabilité, un stress et du désespoir, à être machiavélique, propagandiste, prosélyte, à commettre des erreurs de jugement, à bruler la chandelle par les deux bouts jusqu'à épuisement et à vivre toujours dans la précipitation.

Pour une personne née le 21 du mois : Le nombre 21 représenté par l'image du Monde en maison 1 :

Pour avoir confiance en vous, vous affirmer, fonctionner correctement, être efficace et vous sentir fort(e), vous avez besoin d'explorer le monde et l'espace, de comprendre votre environnement économique et législatif, de vous intégrer dans un groupe ou une organisation ayant des objectifs communs, de participer au monde sur tous les plans, de trouver puis occuper votre place, de prendre votre place dans le monde en jouant votre rôle économique, de voyager, d'être en lien avec l'étranger ou des étrangers, de travailler avec l'étranger et d'avoir une envergure internationale, de vous adapter au monde et à votre environnement, d'aller au bout de vous-même, d'être abouti et réalisé, de vous sentir à l'aise, de vous épanouir, d'être la meilleure version de vous-même et de mettre votre vie au service de la vie, de créer votre bonheur sur Terre, de danser votre vie, de faire de votre vie une œuvre d'art, d'apporter de l'enchantement là où vous êtes, d'incarner l'amour et la sagesse et même parfois de guider les autres dans le monde. Vous avez également besoin d'être ancré dans la matière avec joie, de coordonner intelligemment les ressources disponibles et créer des richesses, de la prospérité et de l'abondance, d'incarner votre idéal et votre vision à travers des objectifs, une organisation et une réussite, d'exprimer la puissance de l'amour, d'affirmer votre autorité et votre puissance, de concrétiser vos ambitions et de faire aboutir vos projets, d'élever votre vision, de prendre en compte l'invisible et de passer du sabotage à l'expression de votre passion, de gérer des projets complexes, de réunir les hommes et enfin d'utiliser votre intelligence technologique ou psychologique pour réparer ce qui doit l'être, pour trouver des solutions et créer un monde meilleur.

Dès lors qu'il s'agit d'oser, d'entreprendre, d'expérimenter sur le terrain, de vous affirmer, d'être opérationnel(le) et efficace ou de travailler dans une entreprise, vous êtes particulièrement capable de vous adapter au monde et à votre environnement. Vous êtes aussi particulièrement capable de faire preuve d'ouverture d'esprit, de travailler avec l'étranger et d'avoir une envergure internationale, de concrétiser vos ambitions, de faire aboutir vos projets, de faire des affaires, de coordonner intelligemment les ressources disponibles, de gérer des projets complexes, de créer des œuvres de grande qualité, de créer des richesses et de la prospérité, d'aller jusqu'au bout de vos objectifs, de synthétiser et conclure, de faire de votre mieux et d'aller au bout de vous-même, de servir le monde et la vie, de créer votre bonheur puis de récolter les fruits de vos efforts, de vous réaliser et vous épanouir, d'être en harmonie avec la juste évolution des choses, d'avoir de la chance, de faire de votre vie une œuvre d'art, d'apporter de l'enchantement là où vous êtes et même parfois de guider autrui dans le monde. Ces richesses sont autant de qualités que vous devez exprimer pour réaliser votre mission de vie et pour nourrir votre évolution. Si ce nombre n'est pas correctement intégré, vous pouvez parfois apparaître comme une personne déséquilibrée dans son masculin ou son féminin, isolée socialement ou manquant de vie privée par excès de vie extérieure, happée et submergée par le monde, prisonnière de ses rôles ou d'une suffisance qui empêche toute remise en question et qui incite à croire que tout est la faute des autres, enfermée dans son cocon, souvent dans le contrôle, le calcul, l'influence et la manipulation derrière une façade angélique et se complaisant dans une tendance à exagérer et à en faire trop, dans la prétention, le snobisme, l'égocentrisme, la suffisance, la mégalomanie, un côté envahissant et colonialiste, l'utopie, le théorique et la virtualité. Il ne dépend que de vous d'effectuer un travail sur vous-même afin que s'exprime uniquement ce qu'il y a de meilleur en vous.

Pour une personne née le 22 du mois : Le nombre 22 représenté par l'image du Mat ou du Fou ou du Génie ou de l'Etre libre et heureux en maison 1 :

Pour avoir confiance en vous, vous affirmer, fonctionner correctement, être efficace et vous sentir fort(e), vous avez besoin de vivre ou au contraire d'éviter de vivre selon l'une de vos vies passées ou selon vos ancêtres, de sortir des cadres, des normes, des systèmes et des sentiers battus pour incarner votre spécificité et votre génie, d'être un électron libre, de faire appel à d'autres logiques que les logiques établies, d'être sans cadres et sans limites et d'être hors du temps. Vous avez besoin d'avoir des idées lumineuses et de faire preuve de génie créatif, de liberté, de dissoudre les nœuds et de briser les chaines de toute dépendance, de libérer ce qui doit l'être, d'être un électron libre, de vous adapter avec une grande intelligence, d'être un artiste de la vie, de vivre dans un état de grâce, de faire de votre vie une œuvre d'art et parfois d'être un génie ou un prophète capable de montrer à chacune et à chacun le chemin vers la liberté suprême et vers la vérité profonde.

Vous avez parfois besoin de prendre soin de personnes inadaptées, handicapées, sans papiers, sans domicile fixe, atypiques ou qui sont des génies. Vous vous présentez comme une personne naturelle, spontanée, souple et fluide, détendue au risque de paraitre insouciante, joyeuse, vivant dans l'instant présent, ouverte à tous les possibles, nomade ou toujours en mouvement, un peu poète et très imaginative, toujours pleine d'idées, polyvalente, multidimensionnelle et originale voire atypique et inclassable. Vous montrez que vous avez besoin d'espace, de liberté de mouvement et de pensée, d'exprimer votre spécificité et votre vérité, de ne pas être enfermée dans une structure ou un système et d'être une personne libre et heureuse. Dès lors qu'il s'agit d'oser, d'entreprendre, d'expérimenter sur le terrain, de vous affirmer, d'être opérationnel(le) et efficace ou de travailler dans une entreprise, vous êtes particulièrement capable de saisir la nécessité de l'instant présent et de vous synchroniser avec elle, d'être naturel(le) et sympathique, de communiquer et d'être pertinent(e), de gérer la forme avec talent, de sentir ce que les autres pensent et ressentent, de voir l'invisible, d'être à l'écoute des coïncidences, de percevoir le futur, d'avoir la foi, de vous laisser guider par vos inspirations et par les courants d'amour qui inondent l'univers, d'aller au-delà des normes et de sortir des sentiers battus, d'optimiser vos ressources, de vivre avec peu et de trouver des solutions géniales auxquelles personne n'avait pensé, de vous adapter avec une grande intelligence, d'être un(e) artiste de la vie, de vivre dans un état de grâce, de faire de votre vie une œuvre d'art et parfois d'être un(e) génie ou un prophète capable de montrer à chacune et à chacun le chemin vers la liberté suprême et vers la vérité profonde.. Si ce nombre n'est pas correctement intégré, vous pouvez parfois apparaître comme une âme errante, ignorante, étourdie, écervelée, incohérente, désorganisée, chaotique, immature, irresponsable, vivant dans la confusion, nourrissant sans cesse ses illusions et ses souffrances, manquant de repères, sans conscience ni but, ni structure, ni sens, ni toit, ni loi, déséquilibrée, enfermée dans ses pensées et dans un bavardage incessant, marginale, perdue dans les méandres de ses mémoires généalogiques ou ses mémoires de vies passées, égarée et entêtée dans ses erreurs, totalement imprévisible, irrationnelle, déprimée, tournant en rond et plus ou moins folle. Il ne tient qu'à vous de faire le choix d'incarner le côté positif du Mat.

Ce que chaque nombre en Maison 1, illustré par un personnage, pourrait indiquer, s'il voulait créer une carte de visite :

1-Le Bateleur : Entrepreneur indépendant, Artisan, Petit futé.

2-La Grande Prêtresse : Voyante, Naturopathe, Gardienne des savoirs et des Clefs et des secrets de la vie et du bien-être, Accoucheuse d'âmes.

3-L'Impératrice : Dame nature, Super Maman, Assistante de direction, Chargée de communication, Super Commerciale.

4-L'Empereur : Père, Bâtisseur d'empire, Directeur, the boss.

5-Le Grand Prêtre : Pédagogue, Médecin du corps et de l'âme, Guide, Conseiller politique, Conférencier, Expert, Optimiste légitime et bienveillant.

6-L'Amoureux : Tailleur de choix, Artiste de la vie.

7-Le Chariot : Coach certifié, Général ou Entrepreneur.

8-La Justice : Gardienne de civilisation, créatrice de liens, d'associations et de structures civilisationelles.

9-L'Hermite : Allumeur de réverbères, Gestionnaire de chantiers, Organisateur, Guide, Chercheur de vérité, Sage.

10-La Roue de Fortune : Horloger, Technicien de la Vie, Artisan, Commerçant, Maître des nombres.

11-La Force : Fauve, Maître du corps et de l'âme, Etre de cœur, Créateur, Jedi, apporteur de conscience, de centrage, de force et de clarté.

12-Pendu : Mystique, Infirmière, Soignant.

13-L'Nombre sans Nom : Initiateur, Maître des énergies subtiles, Chercheur d'or, Agent de sécurité, Agent de transformation, Yogi.

14-La Tempérance : Ange, Thérapeute, Informaticien, Psychologue ou « Spécialiste des réseaux »

15-Le Diable : Passionné, Financier, Forgeron ou destructeur d'illusions.

16-La Maison-Dieu : Guérisseur, Révolutionnaire ou Libérateur.

17-L'Etoile : Fée, Femme heureuse, Créatrice de formes, de bonheur.

18-La Lune : Mère-veilleuse, Nourricière, Nounou universelle ou Ambassadrice de l'inconscient et du bien-être.

19-Le Soleil : Source de chaleur et de lumière, Modèle.

20-Le Jugement : Chamane messager des Dieux, Spécialiste des hautes technologies, Passeur d'âmes.

21-Le Monde : Citoyen du monde, maître du Monde, Danseur.

22-Le Mat : Electron libre, Marginal, Génie ou Personne libre et heureuse.

LA MAISON 2 : En lien avec l'élément terre et le signe du Taureau.

Noms de la maison : L'incarnation, la gestion de la matière, la richesse, la ressource majeure, le plaisir, la joie et l'abondance.

Définition de la maison : La maison 2 révèle votre richesse. Elle décrit votre expérience de l'incarnation. Elle est l'une des ressources principales sur laquelle vous pouvez vous appuyer pour avancer et pour créer votre bonheur sur Terre. Ces ressources étant naturelles, vous n'en avez pas toujours conscience. Quels sont vos atouts, vos qualités naturelles, votre trésor ? A quelles ressources faîtes-vous appel pour gérer, rentabiliser et faire fructifier votre potentiel et trouver les solutions à vos difficultés ? Que faites-vous pour vous ressourcer et vous faire plaisir ? Qu'est ce qui facilite votre évolution, contribue à votre bonheur et vous aide à la réalisation de votre mission de vie ? Vous trouverez des réponses dans la carte en maison 2. En exprimant consciemment les qualités de ce nombre et en les utilisant pour relever vos défis, pour avancer et pour réaliser votre mission de vie, vous vous donnez les moyens d'exprimer le meilleur de vous même. La non-utilisation de ces richesses naturelles génère des frustrations et vous empêche d'avancer, car si vous n'utilisez pas vos richesses, elles risquent de s'exprimer à vos dépens !

Calcul du nombre en maison 2 : Il s'obtient par l'adition de la maison 1 et du mois de naissance. Une personne née le 25 décembre aura le nombre 7+12= 19 en maison 2.

Nombres en maison 2 : Un nombre en maison 2 révèle votre richesse intérieure innée, votre ressource naturelle, celle sur laquelle vous pouvez toujours vous appuyer pour vous incarner et vous exprimer. Cette richesse est aussi votre source de plaisir et de joie. Le nombre en maison 2 s'exprime surtout dans votre première partie de vie, entre votre naissance et 36 ans moins la valeur du nombre de votre maison 10 réduite à un nombre entre 1 et 9.

Exemple : LE NOMBRE 17 (ETOILE) EN MAISON 2 : Ce nombre est ici dans une maison où il peut exprimer tout son potentiel. Pour être dans la joie, exprimer votre sensualité, ressentir du plaisir, gagner de l'argent, générer l'abondance dans votre vie et créer votre bonheur sur terre, vous avez besoin d'être proche de la nature, d'accéder à votre ciel intérieur (thème astral) et de le comprendre, d'avoir les ressources nécessaires, de gérer des ressources ou des approvisionnements, d'être à l'écoute de votre corps et de vos vrais désirs, d'être bien dans votre corps féminin ou avec les femmes, de voir l'aspect positif des valeurs féminines, d'aimer et de vous dévouer à une cause ou à une personne, de donner tout ce que vous pouvez et de savoir pardonner, de vous sentir beau ou belle et de voir la beauté en tout être, de décorer et d'embellir, de générer de la joie, de l'enchantement, de la beauté, de l'harmonie, du bonheur, de l'inspiration et de l'abondance là où vous êtes et de créer votre bonheur sur Terre. Vous avez aussi besoin de vous relever si vous avez été mis à genoux, d'exprimer votre sens de l'harmonie et vos capacités artistiques, d'avoir foi en la vie et de garder espoir, de croire en votre bonne étoile et de faire confiance au destin, de vous relier aux autres et de créer des liens avec autrui, d'exprimer votre intelligence sensorielle et relationnelle, de construire des relations sociales, de faire preuve de douceur et de gentillesse, d'attirer, de plaire et de séduire puis de conserver, de fonder un couple, d'exprimer votre sens esthétique, de coopérer et de partager, de générer de la fluidité, de produire quelque chose, d'apporter votre contribution à la vie voire une touche de magie et de grâce quand c'est possible et d'être en quelque sorte une fée ou une Star.

Vous pouvez aussi vous enrichir par des activités relationnelles, par des activités en rapport avec le corps, la mode, la beauté, la décoration, les plaisirs, l'utilisation de vos sens, l'art et la chanson, la réception, le conditionnement et l'accueil, la production et par l'ensemble des activités en rapport avec le symbolisme de la planète Vénus.

Exemples de personnalités nées avec l'nombre de l'Etoile en maison 2 : Antoine de Saint Exupéry, Kate Moss, Axelle Red, Albert Einstein, Krisnamurti, Maurice Carême, Nicolas Tesla, Marcel Proust.

LA MAISON 3 : En lien avec l'élément air et le signe des Gémeaux.

Noms de la maison : Le mental, l'adaptation, la communication, le mouvement, les échanges.

Définition de la maison : La maison 3 vous permet de faire l'expérience de la communication avec le monde par l'intermédiaire des mots ou des contacts dans le but de vous adapter à votre environnement. Cela peut se faire à travers les échanges, le dialogue, l'information, l'intelligence, le savoir et par des capacités manuelles pratiques.

Calcul du nombre en maison 3 : Il s'obtient par l'adition du mois et de l'année de naissance (réduite à 22). Une personne née en juin 2011 aura le nombre 6+2+0+1+1= 10 en maison 3.

Nombres en maison 3 : Ils décrivent votre manière de vous adapter à votre environnement proche et de vous mettre en mouvement. Vous exprimez le nombre dans cette maison pour entrer en contact avec votre entourage, vous informer, faire des découvertes, vous adapter intelligemment, échanger des biens ou des informations, vous déplacer et dans tous les processus d'apprentissage. Un nombre en maison 3 sera mis au service des facultés d'adaptation au monde extérieur. Cette adaptation passe par l'utilisation du mental, de l'intelligence, de la communication et du mouvement. Le nombre dans cette maison est particulièrement actif durant deux périodes de votre vie, entre 12 et 24 ans puis après votre période de motivation.

Exemple : LE NOMBRE 19 (SOLEIL) EN MAISON 3 :
Pour écouter et vous sentir écouté(e), pour entendre et vous sentir entendu(e), pour communiquer efficacement et vous exprimer, pour apprendre, comprendre et faire preuve d'intelligence, pour vous amuser, vous mettre en mouvement, faire du commerce et vous adapter à votre environnement, vous avez besoin d'être bien centré dans votre cœur, de faire ce que vous aimez et d'aimer ce que vous faîtes, de vous engager à 100% et d'être la meilleure version de vous-même, d'y mettre tout votre cœur et votre amour, de vous mettre en valeur et de valoriser ce qui doit l'être, d'être visible et d'occuper un rôle central sur les devants de la scène voire de diriger et régner, de bien gérer votre image et votre réputation, d'avoir une vision ou un idéal, de traduire cet idéal en objectifs clairs et précis, de vous organiser avec efficacité en structurant ce qui doit l'être, d'exprimer avec joie votre puissante créativité, d'être une personne positive, chaleureuse, noble, digne, généreuse, lumineuse et loyale et de mobiliser toutes vos forces pour atteindre vos objectifs, réussir votre vie avec panache et rayonner comme un Soleil. Vous avez également besoin d'affirmer votre volonté, d'être opportuniste mais très réaliste, de vous imposer quand c'est nécessaire et de créer une situation d'entraide quand c'est possible, d'être autonome mais aussi de vivre des relations privilégiées, de trouver vos marques ou de travailler avec des grandes marques, de vous positionner clairement et d'aider ainsi l'autre à prendre sa place, de faire appel à des valeurs et à des principes,

d'équilibrer votre masculin et votre féminin et de vivre dans la joie. Lorsque vous communiquez, vous faîtes appel à votre essence divine, à une pensée synthétique et à des idées lumineuses. Cela vous permet de toucher les cœurs et d'apporter de la lumière aux autres.

Exemple de personnalités nées avec l'nombre du Soleil en maison 3 : Eric Emmanuel Schmitt (28/03/1960), Marion Zimmer Bradley (03/06/1930), Georges Gurdjieff (13/01/1872).

LA MAISON 4 : En lien avec l'élément eau et le signe du Crabe.

Noms de la maison : Les origines, la valise familiale, le projet parental, le passage du mal-être au bien-être, le foyer, les liens émotionnels.

Définition de la maison : La maison 4 décrit un héritage généalogique issu des désirs et des projets, plus ou moins conscients, de vos parents, pour vous, en tant que leur enfant, au moment de votre conception et de votre naissance. Elle décrit donc votre naissance et un bagage transmis par vos parents. Dans ce bagage, il y a toujours une difficulté, un nœud ou des « objets encombrants ». Ils se traduisent par les schémas et des croyances qui sont un poids dont il conviendra de vous libérer pour avancer sur votre propre chemin. Elle décrit un ensemble de qualités, lié au nombre concerné, que vos parents vous ont obligé à développer parce qu'aux même les exprimaient soit trop fortement, soit pas assez, soit de façon déséquilibrée. Quelque chose en lien avec ce nombre est rejeté ou vécu en négatif et doit être restituer pour avancer. Ce nœud constitue les racines des difficultés qui seront décrites dans la maison 6. Cette libération passe par la capacité et la nécessité de transformer en positif l'énergie du nombre, ce qui est grandement facilité par l'expression du nombre complémentaire. La présence dans votre Diamant de ce nombre complémentaire indiquera une certaine facilité à dénouer et à exprimer en positif votre maison 4. Lorsque votre maison 4 est dénouée, vous avez alors à votre disposition des compétences et des qualités innées sur lesquelles vous pouvez compter et vous appuyer pour réussir votre vie et donner le meilleur de vous-même. Lorsque vous dénouez votre maison 4, vous libérez aussi la maison où se trouve le nombre complémentaire (s'il est présent dans votre Diamant). Lorsque vous parvenez à aller d'une expression inconsciente à une expression consciente grâce au travail approprié, vous passez d'un mal-être à un bien-être. Vous restituez quelque chose qui jadis était occulté.

Vous permettez à une partie de vous d'accoucher d'elle-même. Vous pouvez alors utiliser les qualités du nombre pour réaliser votre mission de vie et pour nourrir votre évolution.

Calcul du nombre en maison 4 : Il s'obtient par l'adition des nombres en maisons 6+7+9.

Nombres en maison 4 : Un nombre en maison 4 contribue à révéler ce que vous portez de vos parents mais aussi la qualité que vous avez choisi de développer en choisissant ces parents là. Il décrit un héritage à inverser, en transformant une charge en un atout. Ce legs peut alors devenir la fondation du Diamant et une base de référence permettant de bien se nourrir sur tous les plans et d'accéder au bien-être.

Exemple : LE NOMBRE 8 (JUSTICE) EN MAISON 4 :

De part ce que vous portez de vos parents, vous êtes extrêmement sensible à la présence d'un ordre invisible caché derrière la vie sur terre et à tout ce qui est en décalage et en dysharmonie avec cet ordre cosmique. Vous avez un besoin, qui est inscrit dans vos cellules, de vérité, d'ordre et de justesse. Mais sans doute portez-vous aussi une importante mémoire d'injustice. Vous êtes peut-être venu(e) sur terre pour rétablir un équilibre, pour réparer quelque chose et surtout pour participer à la civilisation. Cela vous confère des capacités potentielles pour gérer l'information et les données administratives, vous dégager de tout ce qui est pesant, sortir du conflit et aller vers l'harmonie, être en accord avec les lois cosmiques et les lois des hommes, être juste ou voir que les choses sont justes, accepter votre part de responsabilité, voir les différentes facettes d'une situation, peser le pour et le contre, équilibrer les dualités, générer vérité, ordre et justice, pour trancher, structurer en donnant la cadence, perpétuer l'intérêt du bien publique grâce à des règles, utiliser un système d'information, comprendre les règles et le fonctionnement de la civilisation et participer activement à votre civilisation.

Mais ces qualités potentielles sont aussi la cause de vos difficultés et de vos souffrances. Il vous est difficile de les exprimer d'une manière sereine et constructive tant que vous ne parvenez pas à vous libérer de votre héritage. Peut-être avez-vous sans cesse peur de ne pas être en accord avec la loi suprême, d'être pris(e) en faute, d'être jugé(e) coupable, d'être sanctionné(e) par la justice, d'être instrumentalisé(e) ou d'être réduit(e) à l'état d'objet ? Peut-être aussi que vous donnez votre pouvoir de trancher aux autres et que vous vous plaignez ensuite que les autres sont durs et tranchants avec vous ? Ces difficultés font alors obstacle à la réalisation de votre mission de vie et à votre évolution. Elles doivent être transformées pour que vous soyez libre et heureux(se). Il est alors judicieux de transformer votre relation à la justice et cette blessure d'injustice (voir le livre Lise Bourbeau : Les 5 blessures qui empêchent d'être soi-même).

Une des solutions consiste à développer les qualités du nombre complémentaire (14-La tempérance) en apportant une attention particulière à la maison qu'elle occupe. Si le nombre 14 (Nombre de la Tempérance) n'est pas présent dans votre Diamant, il est alors judicieux de côtoyer des personnes qui expriment ce nombre. Lorsque vous parvenez à aller d'une expression inconsciente du nombre 8 (Justice) à une expression consciente, grâce au travail approprié, vous passez alors d'un mal-être à un bien-être et vous pouvez alors utiliser les qualités du nombre pour réaliser votre mission de vie et pour nourrir votre évolution. Vous devenez alors un miroir capable de refléter et révéler les différentes facettes de la Réalité, ce qui est juste et l'ordre cosmique générateur de civilisations.

Exemples : Charles Darwin (12/02/1809), Lewis Carroll (27/01/1832), Sri Aurobindo (15/08/1872), Georges Gurdjieff (13/01/1872), Bô Yin Râ (25/11/1876), Marie Curie (07/11/1867), Christian Lacroix (16/05/1951).

LA MAISON 5 : En lien avec l'élément feu et le signe du Lion.

Noms de la maison : Le cœur, l'identité profonde, le besoin profond essentiel, la façon d'aimer.

Définition de la maison : La maison 5 vous permet d'exprimer la source d'amour que vous avez au fond de vous. Elle décrit votre identité spirituelle, ce que vous êtes au plus profond de vous, ce que veut la lumière en vous, le potentiel qui est à révéler et les qualités qui vous permettent d'exprimer vos talents spécifiques, de réussir votre vie, de fleurir, de vous épanouir, d'exprimer le meilleur de vous-même, de rayonner et de vous réaliser. Elle est la maison qui révèle votre joie par la créativité. Elle vous permet d'être acteur et créateur(trice) de votre vie. Il vous est indispensable de devenir consciemment la symbolique de votre nombre en maison 5 pour trouver votre essence, pour exprimer votre enfant divin, votre puissance d'amour, votre magnificence et pour rayonner le meilleur de vous-même.

Calcul du nombre en maison 5 : Il s'obtient par l'adition des Nombres en maison 2 et 7. Si vous voulez aller plus en profondeur, l'adition des Maisons 1 et 9 renseigne aussi sur la maison 5.

Nombres en maison 5 : Ils vous permettent de manifester votre lumière intérieure, celle qui exprime ce que vous êtes au plus profond de vous, c'est-à-dire Amour et d'exprimez votre puissance créatrice. Le nombre en maison 5 définit votre amour à la Vie et vous permet d'aller au centre de vous-même. Votre maison 5 est particulièrement active durant une période de neuf ans qui commence à 36 ans moins la valeur du nombre de votre maison 10 réduite à un nombre entre 1 et 9.

Exemple : LE NOMBRE 16 (MAISON DIEU) EN MAISON 5 :

La connexion très particulière que vous avez avec la terre d'un côté et avec le ciel de l'autre vous confère une intelligence des technologies et de l'âme humaine mais fait surtout de vous une personne atypique et paradoxale, à la fois très autonome et éprise de liberté tout en ayant des obstinations très enracinées. Vous avez le besoin et des facilités pour utiliser les technologies modernes, les moyens modernes de communication et des langages, faire preuve d'intelligence et d'humanité, vous discipliner, inventer, innover et faire des découvertes et adhérer à une idéologie, à des valeurs humaines ou spirituelles. Vous êtes très organisé(e), avez besoin d'acquérir ou de préserver une certaine liberté d'action tout en étant très ouvert(e) à l'imprévu, à l'inattendu et aux revirements de situations. Vous savez très bien vous enfermer dans votre silence et vous barricader dans votre tour pour pouvoir exprimer votre potentiel, pour organiser votre créativité en la gérant comme un projet complexe et vous acharner, avec une grande puissance de travail, jusqu'à l'atteinte de vos objectifs. Vous êtes doué(e)pour la gestion de projets.

L'une de vos facettes peut cependant ressembler à un bâton de dynamite. Cette facette vous confère une certaine tension intérieure électrique et parfois orageuse. Elle vous rend particulièrement capable de sortir de vos enfermements, de libérer votre créativité et votre parole, de faire jaillir votre énergie d'une façon canalisée, de vous projeter dans l'avenir, de trouver des solutions, d'abaisser vos barrières et de faire tomber les murailles, de faire des réformes visant à améliorer les situations, d'être optimiste et positif, de voir l'aspect prometteur et bénéfique d'une situation, de faire naître l'espoir autour de vous, d'affirmer votre spécificité et vos convictions, de révolutionner, bouleverser voire démolir ce qui doit l'être et parfois de faire exploser une énergie ou une situation qui n'a plus lieu d'être en « maniant la foudre ».

Vous savez vous libérer du carcan du mental, faire régulièrement des prises de conscience, vous exprimer sans exploser, décloisonner et vous décloisonner, adopter une nouvelle vision des choses ou de vous-même, apporter une vision nouvelle capable de libérer autrui, avoir des inspirations divines ou intégrer Dieu dans votre vie. Ces tendances se manifestent dès lors qu'il s'agit de vous repérer et d'être clair(e), de gérer l'image que vous donnez et votre réputation, d'incarner votre idéal, vos valeurs et vos principes, de vous fixer des objectifs et de déployer votre volonté, d'être créatif(ve), de vous engager en donnant le meilleur de vous-même, de vous imposer avec autorité, de maîtriser la situation, de réussir, de briller, de vous réaliser ou lorsque l'Amour est en jeu.

Votre vie sentimentale est souvent peu banale et peut comporter des liaisons qui se font et se défont brusquement et de façon inattendue. Vous pouvez être difficile à satisfaire car vous êtes toujours en quête de nouveauté, de progrès ou parce que vous avez besoin d'aller toujours plus loin ou plus profond vers Dieu. Votre refus de la monotonie vous permet cependant d'avoir des relations riches, vivantes, pleines d'imprévus et qui sont finalement source de libération. Vous êtes facilement sujet aux coups de foudre mais préférez l'union libre au mariage en raison de votre puissant besoin d'indépendance.

Toutes ces expériences sont autant d'opportunités que vous devez exprimer pour réaliser votre mission de vie et pour nourrir votre évolution. Vous pouvez également compléter les opportunités d'expériences de la Tour en exprimant ce que vous ressentez dans votre corps, en apprenant à faire des choix correspondant à vos vrais désirs, en développant des qualités d'amour et de douceur, en créant des relations harmonieuses avec les autres, en vous engageant dans un projet et en cultivant l'énergie de la joie, de l'harmonie et du bien-être. Si vous avez « La Maison-Dieu » (nombre 16) en maison 5, vous avez automatiquement l'nombre de L'Amoureux (nombre 6) en maison 6.

Les caractéristiques du nombre en maison 6 ne sont pas naturellement intégrées en vous, la maison 6 étant l'une des maisons initialement problématiques.

Il est important d'observer si le nombre 6 est présent dans une autre maison et surtout laquelle. Si la maison occupée, dans notre exemple par le nombre 6, est difficile (Maison 4, 7, 8 et une partie de l'axe 3-9) cela va accentuer les obstacles pour exprimer votre être profond. Quand le nombre 6 est dans une maison positive (M 1,2, 9 et 11) ou que vous parvenez à le libérer de façon à en exprimer toutes les qualités, vous êtes alors capable d'exprimer votre essence solaire liée à la maison 5.

Exemples: William Herschel (15/11/1738), Mahatma Gandhi (02/10/1869), Pierre Cardin (02/07/1922).

LA MAISON 6 : En lien avec l'élément terre et le signe de la Vierge.

Noms de la maison : L'intelligence technique, la difficulté répétitive (mémoire d'enfance ou généalogique ou d'âme), le cycle traumatique.

Définition de la maison : La maison 6 est une mémoire non transformée, un cycle traumatique, avec une ou des blessures caractéristiques, qui tournent sans arrêt jusqu'à ce que vous le transformiez en cycle d'amour. Tant que cette mémoire n'est pas désamorcée, elle induit des expériences difficiles et récurrentes. Quelles sont les pensées négatives et les croyances que vous ressassez sans arrêt et que vous devez transformer ?

La maison 6 indique ainsi un cheminement intérieur à effectuer, un chantier à ouvrir et à terminer, pour nettoyer les mémoires profondes, afin d'effectuer des changements dans votre vision des choses et dans vos comportements. Si ce chantier n'est pas pris en compte, si vous continuez à nourrir vos difficultés, vous n'avancez pas et vous restez bloqué(e) dans des schémas répétitifs d'échec. Mais si vous effectuez le travail sur vous avec succès, alors la maison 6 devient une source d'intelligence pratique, d'expertise et de sécurité, une base solide qui vous permet de vous mettre en valeur et de vous élever. Vous pouvez pour cela vous aider de vos cartes en Maison 2 et en Maison 5.

Calcul du nombre en maison 6 : 22 – maison 5. Le tarot, qui permet d'illustrer les nombres, comporte 22 cartes ou nombres majeures, qui forment un tout. Par ce fait, Le nombre en maison 6 est le parfait complément pour permettre au nombre en maison 5 de rayonner et pour accéder à sa totalité.

Nombres en maison 6 : Un nombre en maison 6 révèle votre outil d'adaptation à la matière. Mais soit c'est l'outil qui est maître de vous, ce qui est initialement la tendance, soit, quand vous faîtes le travail approprié, vous devenez maître de l'outil. Si vous êtes dominé(e) par cette intelligence technique, cela génère des difficultés répétitives. Quand vous parvenez à la maîtrise du nombre concerné, vous devenez un(e) expert(e) dans son utilisation.

Remarque : Les Nombres en maison 5 et 6 sont des nombres complémentaires qui apportent une plus grande liberté car leur total fait 22.

Exemple : LE NOMBRE 1 (MAGICIEN) EN MAISON 6 :

Initialement, le nombre 1 (Bateleur) en maison six peut être synonyme de difficultés importantes et récurrentes à vous sentir motivé(e), enthousiaste et plein(e) d'énergie, à exprimer avec joie votre enfant intérieur, à démarrer, à vous lever le matin, à oser, à savoir comment faire, à prendre des initiatives, à improviser, à vous incarner dans la vie et dans l'action, à naître, à exprimer tout votre potentiel, à prendre conscience des outils que vous avez, à savoir comment les utiliser et à les coordonner pour être efficace et présent(e) à ce que vous faîtes. Pourquoi ? Parce qu'au lieu d'être dans l'instant présent et dans l'action, vous pensez trop, vous réfléchissez et vous nourrissez la croyance que votre intelligence terrestre, votre mental, va vous apporter toutes les solutions ! Vous êtes trop centré(e) dans votre mental au lieu d'être centré(e) dans votre corps et dans votre cœur ! Il est également possible que vous ayez des souvenirs et des croyances qui vous empêchent d'exprimer le meilleur de cette carte. Pouvez-vous observer et reconnaitre que vos difficultés en lien avec cette carte font obstacle à la réalisation de votre mission de vie et à votre évolution et doivent être transformées pour que vous soyez une personne libre et heureuse?

Sans doute devez-vous apprendre à acquérir une vision plus positive du Bateleur, modifier vos croyances, restituer votre mental à sa juste place et voir par exemple que l'enthousiasme, la joie de votre enfant intérieur, votre corps et votre vitalité, la nouveauté, l'aventure, le fait d'avoir ou de ne pas avoir les bons outils et l'intention de faire toujours de votre mieux permet de développer l'improvisation avec des moyens du bord, une capacité à rebondir, une ouverture d'esprit, une grande efficacité et une foi en la vie hors du commun. Vous pouvez surmonter la difficulté du nombre 1 en vous recentrant dans votre cœur, en vous fixant des objectifs correspondant à vos désirs profonds, en pratiquant une activité sportive qui met votre corps en mouvement, en prenant réellement conscience de votre pouvoir de décision et en l'utilisant mais aussi en sachant organiser et synthétiser vos expériences et en les incarnant dans le monde, dans la société, dans la vie et dans l'action et cela d'une façon consciente.

Vous pouvez alors devenir particulièrement capable d'être une personne dynamique, spontanée, motivée, engagée, enthousiaste, vaillante, dans l'instant présent, de vous affirmer efficacement et d'être autonome dès lors qu'il s'agit de servir, de communiquer, d'effectuer des échanges commerciaux, de vous adapter aux réalités matérielles en utilisant des outils et des techniques, de traiter des question d'hygiène ou de santé, d'être en sécurité ou d'utiliser des systèmes d'information. Vous pouvez déployer une activité considérable dans le service, pour développer des savoirs-faire et une expertise, pour générer hygiène et santé, pour traiter l'information et développer une expertise technique, pour travailler avec ardeur et énergie, pour faire de votre mieux et pour être une personne efficace et compétitive dans votre secteur d'activité. C'est dans le travail quotidien et à travers le service ou dans toute activité faisant appel à des systèmes d'informations que s'exerce le mieux votre capacité de décision, votre intelligence pratique, votre combativité et votre aptitude à faire face aux défis de l'existence. C'est aussi là que vous pouvez exprimer la joie et la spontanéité de votre enfant intérieur. Il vous faut donc un travail qui vous enthousiasme. Vous avez une impulsion naturelle à surmonter les obstacles dans le service ou pour maîtriser l'information. Vous pouvez devenir expert(e) dans la compréhension du fonctionnement des choses et dans la coordination stratégique des outils et des potentiels. Vous pouvez alors pleinement vous accomplir dans le Monde (Votre nombre en maison 5). Vous avez plutôt tendance à fuir la routine et vous épanouissez plutôt dans un travail pratique, technique, en contact avec le terrain, où vous pouvez agir et dépenser votre énergie.

Exemples : Thérèse de Lisieux (02/01/1873), Antoine de Saint-Exupéry (29/06/1900), Gérard de Nerval (22/05/1808), Charles Baudelaire (09/04/1821), Albert Einstein (14/03/1879).

LA MAISON 7 : En lien avec l'élément air et le signe de la Balance.

Noms de la maison : Le féminin en relation, l'autre, la façon d'entrer en relation, l'antipode, le défi majeur, l'orage à apaiser.

Définition de la maison : La maison 7 vous permet et vous oblige à vous ouvrir à l'autre, aux autres et à la civilisation. Cela implique un décentrage par rapport à vous-même et un rééquilibrage entre vous et l'autre. Cette maison est alors votre antipode, votre complément opposé et votre défi. Elle vous met en position de vous confronter d'abord à vous-même, à vos ennemis intérieurs puis ensuite aux autres.

En effet, le nombre présent dans cette maison a tendance à être soit rejeté, parce que perçu comme négatif et donc vécu en manque, soit au contraire exprimé de façon excessive jusqu'à ce qu'un rééquilibrage ait lieu. Pour ne pas exprimer la facette sombre du nombre en maison 7 et lui donner une expression juste, il y a une nécessité de modifier la vision que vous avez du nombre et les croyances que vous y associez. Cela vous oblige à effectuer des prises de conscience et un travail sur vous, à mobiliser des moyens que vous n'avez pas l'habitude d'utiliser et à mener un combat en faisant usage d'une certaine dose d'énergie. Comme vous êtes confronté(e) à la partie la moins naturelle de vous, cela exige des efforts. Si le défi que pose votre antipode n'est pas relevé, si vous continuez à nourrir vos difficultés, vous n'avancez pas parce que vous ne pouvez alors pas exprimer pleinement les ressources de votre maison deux. Quand le combat est mené avec succès, alors votre maison 7 devient un atout, une source de force, un tremplin et un catalyseur pour exprimer vos ressources, pour vivre votre mission de vie et pour accéder à la réalisation de soi. Vous maîtrisez alors consciemment le nombre en maison 7 et ce qui était initialement une difficulté devient un trésor dans lequel vous pouvez puiser pour vous réaliser.

Calcul du nombre en maison 7 : Vous prenez la valeur du nombre en Maison 8 moins la valeur de celui en maison 9 ou la valeur du nombre en maison 9 moins celle du nombre maison 8. On soustrait le plus petit du plus grand.

Nombres en maison 7 : Le nombre en maison 7 révèle un déséquilibre initial, votre antipode et une part de vous que vous avez naturellement tendance à rejeter. En maison 7, vous vous décentrez de vous-même pour aller vers l'autre. Un effort et une harmonisation sont alors nécessaires pour retrouver une totalité. Cela constitue un défi essentiel, tant que « l'axe maison1-maison 7 » n'a pas été réunifié à votre être global. Il est intéressant de découvrir le bénéfice secondaire du défi présent en maison 7 !

Quelles sont les qualités que vous avez choisi de développer à travers ce défi ? La maison 7 correspond aussi à ce dont vous avez besoin chez l'autre, à ce qui vous attire et vous séduit, parce que vous le considérez comme une part manquante, en vous, tant qu'elle n'est pas réunifiée à votre centre. Vous avez donc naturellement tendance à attirer un ou une partenaire qui va vous obliger à développer en conscience, le nombre en maison 7 et souvent aussi une tendance à reprocher à l'autre la facette obscure du nombre.

Au-delà de son aspect difficile et « défi », la maison 7 décrit votre façon de rencontrer l'autre pour créer un lien. Quand la maison 7 est bien intégrée, elle décrit la forme de votre intelligence relationnelle et votre façon d'être en couple et de participer à la civilisation.

Exemple : LE NOMBRE 3 (IMPERATRICE) EN MAISON 7 :

Initialement, l'Impératrice en maison sept peut être synonyme de difficultés importantes et récurrentes à cause d'une tendance à nourrir des mensonges, à vivre dans le monde de vos idées et à ne pas communiquer avec justesse. Vos difficultés peuvent provenir d'un déséquilibre au niveau de la communication pendant votre enfance; soit les choses n'ont pas été dites, soit vous ne vous êtes pas senti écouté(e) et entendu(e), soit il y avait un décalage perturbant entre la réalité et ce qui était dit. Cela a pu avoir un impact sur la qualité de votre respiration, de vos échanges entre votre intérieur et votre extérieur et donc de votre communication.

Vous avez ainsi pu avoir des difficultés à écouter, à entendre, à maîtriser votre communication, à doser votre parole, à dire les choses, à synchroniser vos pensées, vos paroles et vos actes, à sortir de votre mental, à maîtriser la forme, à exprimer et faire respecter votre autorité et à vous adapter intelligemment à votre environnement. Pourquoi avez-vous des difficultés à exprimer cette carte d'une façon positive ? Parce qu'au lieu d'être centré(e) dans votre corps, dans l'instant présent et dans l'action, vous avez tendance à vous décentrer et à compter sur les autres pour exprimer cette carte à votre place. C'est comme si vous rejetiez tout ou partie de la carte parce que vous la voyez comme étant perturbatrice. Elle tend alors à s'exprimer, depuis votre inconscient, sous sa forme inférieure et à s'associer avec votre ombre. Si vous refusez d'écouter votre voix intérieure, de communiquer avec amour, de penser ce que vous dites et de dire ce que vous pensez et de faire confiance aux autres, il devient alors difficile de trouver votre équilibre et votre joie, de créer de l'harmonie et de rassembler ce qui est séparé de votre centre. Si vous exprimez l'ombre de l'Impératrice, le risque est de vous enfermer dans une prison mentale, dans un abus de pouvoir personnel, dans des convictions qui vous empêchent d'accéder à votre vérité profonde mais aussi de garder un contrôle excessif de votre communication et de vos émotions, ce qui freine la création de liens authentiques, joyeux et profonds avec autrui.

Il est également possible que vous ayez des souvenirs et des croyances qui vous empêchent d'exprimer le meilleur de cette carte, en lien avec votre mère. Tant qu'un travail n'est pas effectué, les relations avec votre mère peuvent être tendues et marquées par des difficultés de communication. Pouvez-vous observer et reconnaitre ces difficultés et comment elles font obstacle à la réalisation de votre mission de vie et à votre évolution ? Sans doute devez-vous apprendre à acquérir une vision plus positive de l'Impératrice, modifier vos croyances, apprendre à vous recentrer et vivre d'une manière positive cet « être de pouvoir et de communication » qui vous habite. Vos idées sont souvent soumises à vos sentiments, aussi ne comprenez-vous entièrement que ce qui vous procure un certain plaisir.

Vous pouvez surmonter la difficulté de l'Impératrice en effectuant un travail sur votre relation avec votre mère, sur votre capacité à écouter et laisser parler votre cœur, sur votre sens de la fraternité, sur des actions qui vous permettent de retrouver la joie, de prendre conscience de votre valeur et du Soleil qui est en vous afin d'accéder au langage universel du cœur. Dès lors, la vie sociale, la vie de couple, les associations et les relations sont les secteurs d'activité où s'exercent naturellement votre besoin d'échanges, de communication, de contacts, d'adaptation à l'environnement, de jeux et de transmission de l'information.

Vous êtes le type même de l'être de contact. Les autres vous intéressent, vous étonnent, vous font rire, vous intriguent et stimulent votre curiosité. Aussi cherchez-vous à multiplier les rencontres, les contacts et les relations. Vous aimez découvrir l'autre, l'analyser et vous découvrir dans son regard. Vous êtes opportuniste dans vos relations et avez en général peu d'inimitiés car vous savez être juste, diplomate et habile, en dosant autorité et élégance pour aplanir les difficultés et les divergences.

Côté partenaire, vous êtes attiré(e) par des personnes souriantes, communicatives, drôles, aimant l'échange et le dialogue, ayant un esprit jeune, un goût du jeu et des échanges. Le conjoint ou les associations peuvent contribuer à développer vos facultés d'adaptation et de communication. Vos rapports avec autrui sont parfois plus vécus comme un échange d'informations, comme une expérience intéressante où à travers des échanges commerciaux qu'à travers des rapports purement affectifs.

Vous êtes d'autant plus attiré(e) par l'inconnu que représente autrui quand celui-ci est intellectuellement stimulant ou qu'il peut représenter une opportunité capable de vous aider pour assurer la bonne marche de l'empire. Le risque est d'avoir toujours des relations « intéressées ». Vos difficultés initiales peuvent alors déboucher sur de puissantes capacités d'expression, de discernement et de mise en forme, sur une remarquable intelligence relationnelle et sur un talent pour donner les bonnes informations, aux bonnes personnes et au bon moment, quels que soient les moyens de communication employés.

Exemples : Jean de la Fontaine (08/07/1621), Ludwig Van Beethoven (16/12/1770), Albert Camus (07/11/1913), Eugène Delacroix (26/04/1798).

LA MAISON 8 : En lien avec l'élément eau et le signe du Scorpion.

Noms de la maison : L'initiation aux mystères, la quête de votre trésor spirituel, le passage secret, vos passions.

Définition : Elle est en lien avec le signe d'eau du Scorpion. Elle est donc complexe. Pour résumer, elle révèle ce dont vous avez besoin pour vivre une vie sexuelle harmonieuse, pour développer une relation saine à l'au-delà, pour intégrer votre nature éternelle, passer de la crise, du sabotage et des excès à l'expression de votre passion. Elle correspond à la facette inconnue et parfois occultée de vous-même, celle qui est présente, innée, mais non conscientisé. Elle vous semble initialement manquante alors qu'elle est pourtant bien existante, mais vous avez tendance à l'ignorer parce que quelque part cela vous apporte un bénéfice secondaire. Vous l'érigez alors en quête absolue, en combat et en idéal à manifester, afin de la chercher et de la trouver. Elle est comme un passage secret et une expérience initiatique entre vous et votre lumière. Initialement donc, vous avez tendance à vous obstiner à la chercher, d'une façon excessive, surtout à l'extérieur.

Elle est le trésor que vous cherchez longtemps à l'extérieur jusqu'à ce que vous le trouviez dans votre propre jardin, chez vous, en vous ! Pourquoi s'obstiner à chercher quelque chose que vous avez déjà ? Peut-être que le voyage est aussi important que la destination ! La maison 8 est comme un chemin initiatique vers vous-même, vers votre complétude et vers la reconnaissance de ce qui est éternel en vous. Si vous êtes né(e) durant les deux premiers tiers du mois, c'est ce que vous recherchez à l'excès dans votre signe astral qui vous empêche de prendre conscience de qui vous êtes.

Si vous êtes né(e) dans le dernier tiers du mois, c'est un excès de ce que symbolise le nombre en maison 8 qui vous empêche d'exprimer pleinement votre signe astrologique et de prendre conscience de qui vous êtes. Dans les deux cas, un rééquilibrage entre votre signe astral et votre signe astral complémentaire permet de faire un grand pas en avant pour aboutir à votre quête.

Calcul du nombre en maison 8 : Il correspond à votre mois de naissance.

Nombres en maison 8 : Le nombre en maison 8 décrit le noyau condensé au cœur de votre âme, le trésor enfoui que vous cherchez toute votre vie à l'extérieur jusqu'à ce que vous le trouviez en vous, ce qui est occulté et donc le parcours initiatique qui vous mène au plus profond de vous. C'est la seule maison dont le nombre ne dépasse pas la valeur de 12. Ce nombre est un symbole de transcendance et de porte vers l'infini vous permettant d'accéder à votre vérité suprême afin de briser définitivement les liens du karma. Cette transcendance passe par une conscience des énergies subtiles et de l'au-delà. Quand vous avez accédé à ce trésor, vous vous réunifiez, vous vous révélez à votre vérité et vous êtes alors capable d'exprimer le nombre en maison 8 avec passion, intensité, authenticité et avec une redoutable efficacité.

Exemple pour les personnes nées en février : Nombre 2 soit LA GRANDE PRETRESSE (PAPESSE) EN MAISON 8 :

Vous avez soit l'impression que l'essentiel de la vie est caché et demande à être exploré puis révélé, soit l'impression qu'il n'y a pas de mystères alors que quelque chose demande à être dévoilé.

Vous pouvez également avoir l'impression de ne pas entendre, de ne rien savoir, de ne pas avoir de légitimité, de ne pas être organisé(e), de ne pas pouvoir être une mère ou une grand-mère envers vous-même ou envers autrui, de ne pas arriver à vous ressourcer ou à vous sentir bien ou de ne pas avoir conscience de vos intuitions. Pourquoi ? Parce qu'il y a une part de vous, votre part d'ombre ou votre saboteur, qui refuse d'être en silence, dans les profondeurs de la vérité, de voiler ou de dévoiler les secrets de votre vie et de la vie, de vous nourrir sur tous les plans, d'être une mère pour vous-même ou pour autrui, de vous sentir en vie et d'accéder au bien-être. C'est comme si « la Grande-Prêtresse » en vous était occultée. Votre quête passe alors par une exploration des réalités invisibles qui sous-tendent la vie, que celles-ci soient d'ordre matériel, technologique, psychologique, émotionnel, énergétique ou spirituel. Vous pouvez surmonter la difficulté de la Grande Prêtresse en effectuant un travail sur vos mémoires, sur l'intuition, sur la magie de la crainte et la magie de la foi, sur votre sensibilité et votre émotionnel, sur votre relation avec votre mère, avec dame nature et avec la vie, de façon à retrouver une fluidité et une joie d'être « vie », « amour inconditionnel » et « Grande prêtresse au service de la vie».

Signe du Verseau : Une tendance à brasser des concepts et des projets, à être dans la virtualité ou à trop vouloir contrôler empêche la libre circulation de la vitalité, de passer à l'action concrète ou d'être efficace.
Trop d'agitation et de dispersion, une tendance à être happé(e) par les choses extérieures et les gens vous empêche de prendre conscience de votre profondeur et d'accéder à votre lumière. Vous êtes tellement identifié(e) à votre mental, à vos qualités techniques, à vos compétences psychologiques où à vos relations amicales que vous avez l'impression qu'il vous manque une connexion aux mystères de la vie et à la connaissance suprême et que cela vous empêche de prendre conscience de qui vous êtes vraiment et d'accéder à votre trésor.

Conseil pour accéder à sa quête, équilibrer les excès et combler le manque : Vous fixer des objectifs personnels concrets à réaliser et pratiquer la méditation. Rencontrer des personnes nées sous le signe du Lion. Accordez à vos intuitions toute l'attention qu'elles méritent, explorer l'invisible, partir de vos rêves pour accéder aux mystères et aux symboles mais aussi apprendre à vous centrer, à être dans le cœur et à exprimer votre créativité. Lire des livres de physique quantique et faire des stages de développement personnel.

Signe des Poissons : Trop de mystères, d'intuitions, de tromperies, d'informations, de mémoires généalogiques ou de mémoires de vies passées, ou une tendance à vous voiler la vérité, vous empêchent de prendre conscience de qui vous êtes et d'accéder à votre trésor.

Conseil pour accéder à votre quête, équilibrer les excès et combler le manque : Structurer l'information en prenant des notes, faire le tri entre ce qui doit rester voilé et ce qui peut être dévoilé, développer votre discernement et votre logique. Exprimer avec des mots vos ressentis car ce qui est évident pour vous ne l'est pas forcément pour autrui. Rencontrer des personnes nées sous le signe de la Vierge. Lire des livres de physique quantique et faire des stages de développement personnel.

Sublimé : Quand cette position est intégrée, vous avez consciemment besoin d'accéder au bien-être et à la sérénité et pour cela, vous avez besoin d'intensité, d'authenticité, de passion, de transformation, d'expériences initiatiques, d'avoir conscience des secrets de la vie et d'une part de mystère. Sinon rien ne va plus. Vous êtes particulièrement intuitif et pouvez avoir une forte réceptivité à l'au-delà, aux forces secrètes de la nature, à l'envers du décor, à ce qui se cache derrière les apparences, aux sous-entendus et non-dits, aux énigmes, aux mystères et aux problèmes de l'existence. Ce nombre vous permet ainsi d'être un(e) gardien(ne) de la connaissance, celui qui permet de (se) libérer et d'accéder au sacré, de maîtriser une technologie qui permet de faire progresser l'humanité, tant au niveau matériel qu'au niveau psychologique et émotionnel puis d'intégrer pleinement la dimension collective de la vie. Vous naissez avec une grande Prêtresse en maison huit pour vous transformer, pour vivre l'expérience de la spiritualité et du développement personnel et pour apporter une contribution significative, avec simplicité et humilité, à votre collectivité voire à l'humanité.

Exemples : Rudolf Steiner (25/02/1861), Jules Vernes (08/02/1828), Galilée (15/02/1564), Charles Darwin (12/02/1809), Thomas Edison (11/02/1847).

LA MAISON 9 : En lien avec l'élément feu et le signe du Sagittaire.

Noms de la maison : L'intégration sociale, les grands voyages du corps et de l'esprit, prendre votre place dans le monde.

Définition de la maison : La maison 9 est la maison de votre vie extérieure, du grand voyage qu'est votre vie extérieure et du rôle que vous devez jouer dans ce monde extérieur. Pour jouer ce rôle et entreprendre ce voyage, vous disposez d'une part d'une intelligence capable de trouver, d'intégrer, d'organiser et d'utiliser des connaissances et d'autre part d'un ensemble de qualités comme un désir d'intégration sociale et de légitimité, un sens de ce qui est normal et conforme, l'autorité, la confiance, l'optimisme, l'opportunisme, le sens des affaires, un sens de l'espace et de l'orientation, un gout de l'aventure, une ouverture culturelle, philosophique et spirituel, une capacité à donner du sens, une certaine bienveillance, un certain gout pour donner des conseils voire pour faire la loi et une certaine envergure. Elle vous permet de passer de votre maison 4 à votre maison 10, c'est à dire des schémas parentaux à votre projet de vie personnel où de vos racines au sommet de votre feuillage.

Elle vous permet de vous déployer dans l'espace comme un arbre. Son fonctionnement est alors le suivant : Je pense qu'il faut que je fasse (ce qui est représenté par la symbolique du nombre en maison 9) pour me débarrasser des schémas parentaux et pour vivre mon projet personnel. Il y a donc un fort désir de vivre ce que représente ce nombre dans le monde extérieur ainsi qu'une crainte de non épanouissement et de non adaptation ou de non intégration si ce nombre n'est pas exprimé et vécu. Ensuite, elle vous apporte un ensemble de compétences et de qualités que vous pouvez utiliser pour vous élancer vers l'extérieur et pour créer et prendre votre place dans ce monde. Elle est l'une des ressources principales sur laquelle vous pouvez vous appuyer pour exercer votre activité professionnelle, pour jouer votre rôle social et pour réaliser votre mission de vie, celle qui vous permet de rassembler les différentes parties de votre Etre. Le nombre en maison 9 vous de faire l'expérience des cultures, des grands espaces, des philosophies, des religions et des cadres de références, c'est à dire les lois, les mécanismes économiques, les normes culturelles et les connaissances nécessaires à l'exercice d'une profession.

Il représente les facultés supérieures de l'intellect, les éventuelles recherches spirituelles, l'aptitude à guider et à être guidé ainsi que la capacité à légiférer. Il indique comment vous réagissez lorsque vous vous éloignez de votre milieu natal, de votre environnement habituel et comment vous dépassez vos limites et frontières, élargissez vos horizons, recherchez de nouvelles valeurs et de nouvelles aventures pour accéder à la réalisation de vos idéaux, à l'épanouissement personnel et à la prospérité. Le nombre présent dans cette maison étant opposé de vos fonctionnements naturels habituels, il peut vous paraitre « lointain » ou « étranger ». Vous avez donc pu ressentir, surtout dans votre jeunesse, quelques difficultés à vous reconnaître en lui. Il est le plus fortement exprimé entre 36 (12x3) et 60 ans (12x5).

Calcul du nombre en maison 9 : Il correspond à l'année de naissance. Exemple : 2011 = 2+0+1+1=4.

Nombres en maison 9 :
Ils décrivent votre façon de gérer l'espace et la manière dont vous vous extériorisez pour prendre votre place dans la société. Elle décrit comment vous élargissez vos horizons, effectuez des études supérieures, des grands voyages du corps et de l'esprit mais aussi votre façon de mener vos négociations et vos affaires. Elle a une facette instinctive, aventurière et voyageuse, une facette conformiste et « business » et une facette philosophique ou spirituelle.

Exemple : LE NOMBRE 5 (GRAND PRETRE ou PAPE) EN MAISON 9 :

Dans la facette instinctive de la maison, le Grand-Prêtre peut vous conférer un besoin compulsif d'ingurgiter des informations, de faire des stages et des formations, de voyager, d'apprendre des langues étrangères, de faire des affaires ou d'intégrer les différentes philosophies et systèmes de pensées qui existent sur la planète. Vous avez également une facilité pour trouver dans votre environnement des personnes qui vous protègent, qui vous vous bénissent, qui nourrissent votre foi et votre confiance, qui sont des médecins du corps ou de l'âme, ou qui vous apportent les enseignements qui vous aident à donner un sens à votre vie.

Dans les autres facettes de la maison, l'élargissement de vos horizons et votre expansion passent souvent par des aspirations à jouer un rôle dans la société. Cela peut passer par des activités de distribution, par la transmission de valeurs morales, religieuses, métaphysiques, culturelles ou socioprofessionnelles, par des activités médicales ou paramédicales ou par des formations et le monde de l'enseignement. Il émane de vous une certaine force spirituelle, une certaine envergure et un mélange de bienveillance, de sens pédagogique et d'autorité.

Vous avez une certaine facilité pour prendre votre place dans la société, pour occuper l'espace, exercer une activité professionnelle, vous intégrer dans un groupe ayant des objectifs communs, comprendre votre environnement social avec ses codes et sa culture, exprimer votre autorité, négocier ou faire des affaires, être optimiste, opportuniste et généreux, légiférer, représenter, organiser, coordonner, d'administrer, distribuer, éduquer, conseiller, guider, être confortable, acquérir un certain confort matériel, pour voyager ou pour provoquer la chance. Vous avez ainsi la possibilité d'être une autorité morale capable de donner du sens, de (vous) restituer la confiance et la foi, de valider le sacré en chacun(e), de permettre à chacun(e) de donner le meilleur de soi et d'exprimer votre cœur au service de la vie.

Le nombre complémentaire du nombre 5 est le nombre 17. (5+17=22). Vous pouvez également accroître le pouvoir du 5 en sachant prendre en compte vos besoins personnels, au-delà du rôle social que vous jouez, en sachant voir la beauté en vous et en toute personne, en écoutant vos vrais désirs, en sachant vous faire plaisir, en donnant et en pardonnant, en cultivant l'harmonie, la pureté et la vérité et en vivant dans la joie.

Remarque : Ce nombre 5 est particulièrement compatible avec la maison. Il facilite donc la possibilité d'exprimer les besoins de la maison.

Exemples : Edgar Cayce (18/03/1877), Krisnamurti (12/05/1895), Jean Giono (30/03/1895).

LA MAISON 10 : En lien avec l'élément terre et le signe du Capricorne.

Noms : Le chemin de vie, la leçon de vie, la gestion de la destinée.

Définition de la maison : La maison 10 décrit de quelle façon vous pouvez et devez organiser votre vie, avancer, cheminer, grandir, murir, construire le chantier de votre vie, être en chantier, faire l'expérience d'une carrière, d'une vocation librement choisie et ainsi réaliser votre mission terrestre, votre mission existentielle. Elle décrit aussi comment vous pouvez et devez atteindre votre sommet, accéder à votre vérité profonde et trouver la paix intérieure. Elle décrit donc logiquement la leçon principale que vous êtes venu apprendre durant cette existence.

La carte en maison 10 renseigne sur vos expériences professionnelles marquantes, sur votre ascension, votre réussite sociale et vos réalisations. Elle vous permet de faire l'expérience de l'autonomie, d'un destin, des structures et de récolter les fruits du travail accompli.

Le moteur de cette maison est l'ambition, une grande force de travail, une capacité à gérer des chantiers intérieurs ou extérieurs, le besoin d'être reconnu grâce à un statut social, le sens de l'organisation, la détermination, l'intégrité, le sens du long terme et de l'histoire, la capacité à réagir en adulte autonome et responsable et l'aptitude à méditer. Dans le domaine de l'évolution intérieure, elle correspond à la forme de votre cheminement vers la sagesse, au travail sur vous-même qui est nécessaire à votre évolution et à la manière dont vous allez bâtir votre « cathédrale » ou votre « temple » afin d'accéder un jour au « temple de Dieu » qui se trouve au sommet de la grande montagne. La maison 10 affine votre nombre d'expression et votre nombre de réalisation.

Calcul du nombre en maison 10 : Ce nombre correspond à l'addition du jour, du mois et de l'année de naissance.

Méthode 1 : 12/02/1968 = 1+2+0+2+1+9+6+8 = 29=11
Méthode 2 : 12/02/1968 = 12+02+1968 = 1982 = 20

Remarque importante : Quand les deux ne sont pas identiques, il y a un message supplémentaire à intégrer pour vous remettre dans votre axe d'évolution. La première partie de vie est tend à être marquée par le premier chiffre et la seconde par le second.

Nombres en maison 10 : Le nombre en maison 10 vous permet d'organiser votre destinée, d'intégrer la notion d'ordre et de structure, de mûrir, de cheminer et d'atteindre un sommet. Il décrit la leçon de vie majeure que vous êtes venu(e) expérimenter. Il représente votre carrière et vos grandes réalisations. Le nombre en maison 10 est un chantier à bâtir et une pente parfois ardue à gravir. Le vivre pleinement nécessite travail, effort personnel et investissement à long terme.

Exemple : LE NOMBRE 9 (HERMITE) EN MAISON 10 :

Pour cheminer, avancer et construire votre vie, vous avez besoin de questionner, de chercher votre vérité profonde, d'être en chantier et de trouver la paix intérieure. Votre chemin d'évolution passe par une capacité à voir que la vie est gouvernée par une réalité invisible éternelle très structurée qui s'exprime dans différentes formes de temps à travers des lois et des cycles. Cela vous rend très sensible au sentiment de manque et d'abandon, à tout ce qui est en décalage et en dysharmonie avec l'ordre éternel des choses, mais aussi aux structures, aux vérités éternelles, à la sagesse, à la valeur des principes, à l'histoire, au temps et aux nombres. Cela tend à faire de vous une personne simple, minimaliste, avec un côté solitaire plutôt réservée, parfois dure et distante mais aussi sage et espiègle, calme, prudente, sérieuse, intègre, réfléchie, responsable, mûre, expérimentée, solide, profonde, organisée, rigoureuse, exigeante, déterminée, persévérante, très tenace, soucieuse de qualité, de sécurité et de durée mais aussi souvent en questionnement, en chemin ou en chantier.

Vous considérez les événements de votre vie avec sérieux et gravité. Vous avez besoin de temps, de cheminer ou d'être toujours en chantier. Vous avez besoin de vous sentir en sécurité pour construire et pour avancer. Vous avez tendance à discipliner, à contrôler, à maîtriser vos instincts et vos élans. Vous avez une tendance naturelle à résister aux sollicitations sensorielles en élaborant un système de défense fait de principes moraux, de règles, de théories, de revendications, d'exigences et parfois de jugements. Cela vous permet certes d'être sélectif dans vos objectifs, vos décisions et de vous protéger vis à vis de tout ce qui ne vous parait pas sain ou en accord avec l'ordre des choses mais cela limite parfois vos possibilités d'expression et votre joie de vivre.

Vos possibilités d'élévation sociale, de réussite sociale et de réalisation mais aussi la leçon majeure que vous devez apprendre et votre mission de vie sont liées à votre capacité de prendre du recul, de vous isoler, de vous intérioriser, d'observer en profondeur, de tirer des leçons de vos expériences, de poser les bonnes questions, de vous organiser et vous discipliner, de maîtriser le temps, d'être humble et dans la vérité des choses, de faire preuve de patience, de prudence, de profondeur et de sagesse, de faire des recherches et des découvertes, d'utiliser des systèmes d'informations.

Elles sont également liées à votre capacité d'abandonner ce qui doit l'être, de résister aux pressions extérieures, de faire référence aux lois éternelles, de vous fixer des objectifs à long terme, de gérer des projets et des chantiers à long terme, de construire et de bâtir, de surmonter avec acharnement les obstacles susceptibles de vous barrer la route, d'être déterminé(e) et exigeant(e), de gravir des montagnes, d'expérimenter et de faire des recherches, de guider et d'éclairer, de voir la lumière et d'être positif(ve), de structurer et de travailler sur les structures, d'utiliser des plans et des schémas, de faire toujours de votre mieux et de cheminer afin de trouver et vivre votre vérité profonde mais aussi de générer de l'ordre, de la vérité et de la conscience là où c'est nécessaire.

Le fait d'exprimer ces qualités nourrit votre évolution. Vous pouvez également nourrir votre évolution en abandonnant tout ce qui n'est plus nécessaire, en développant votre lucidité et votre authenticité, en apprenant à gérer votre côté obscur, votre pouvoir personnel et votre instinct de survie, en sachant aller à l'essentiel, en prenant conscience de la réalité d'un au-delà dans votre vie quotidienne et en effectuant les transformations profondes qui sont nécessaires pour accéder à votre vérité profonde. Vous devenez au fur et à mesure que vous avancez dans votre vie, de plus en plus capable d'exprimer toutes ces qualités, notamment lorsqu'il s'agit d'acquérir ou de préserver une certaine sécurité, lorsque vous êtes face à des difficultés, lorsqu'il s'agit de vous organiser, de mettre de l'ordre, de structurer, de fournir des efforts ou de vous imposer une certaine discipline, lorsque vous abordez l'inconnu ou entreprenez une recherche, une quête ou une étude mais aussi lorsqu'il s'agit de cheminer, de gérer un chantier ou de parcourir les différentes étapes de l'évolution professionnelle et spirituelle.

Cela vous permet de construire une vie qui est en harmonie avec les lois éternelles, dans un état d'amour et de sérénité puis d'œuvrer pour apporter plus de sagesse autour de vous.

Exemple de métiers : Gestionnaire de projet ou de chantier, technicien en froid industriel, guide, guide spirituel, conseiller municipal ou régional, consultant, spéléologue, géologue, géobiologue, lithothérapeuthe, journaliste d'investigation, architecte, apothicaire, archiviste, documentaliste, spécialiste des structures ou des matériaux, métiers de l'éclairage publique, historien, métiers du bâtiment, agriculteurs, herboriste, berger, chercheur, explorateur, laborantin, médecin de l'âme.

Remarque : Ce nombre 9 est particulièrement en analogie, et donc compatible, avec la maison 10. Il facilite la possibilité d'exprimer les besoins de la maison.

Exemples : Mère Amma : (27/09/1953), Nicolas Copernicus (19/02/1473), Ray Tomlinson (02/10/1941), André Courrèges (09/03/1923), Jean-Paul Gaultier (24/04/1952).

LA MAISON 11 : En lien avec l'élément air et le signe du Verseau.

Noms de la maison : La clef de la liberté, les solutions obligatoires, l'adaptation à la modernité.

Définition de la maison : C'est cette maison qui vous apporte les solutions qui vous libèrent. Elle est donc très importante ! Elle est la clef de votre liberté et de votre réalisation. Elle décrit ce qui doit être vécu, ce à quoi vous devez vous confronter d'une façon récurrente et les capacités qui doivent être utilisées pour faire jaillir votre potentiel, pour avancer, pour réaliser votre mission de vie et pour vous libérer de tout ce qui vous enchaîne. La carte dans cette maison ne s'exprime pas naturellement. Elle demande une intention, un effort conscient et une organisation. Elle est le chas de l'aiguille et la clef qui ouvre la porte du Diamant de Naissance. Si vous ne vous en servez pas, votre Diamant ne brille pas, ne vibre pas et vous passez à côté du meilleur de vous-même. Elle est donc un passage obligé, une solution obligatoire et la porte que vous devez franchir pour accéder à votre identité profonde en maison 5 mais aussi pour guérir ce qui en vous doit être guéri.

Le nombre en maison 11 défini aussi comment vous vous exprimez en groupe ou avec vos ami(e)s, comment vous abordez la nouveauté et le progrès et comment vous trouvez des solutions pour progresser. Il vous connecte avec l'univers et vous prête un pouvoir accompagné d'une intelligence technologique et/ou psychologique qui est mis à votre disposition, à la fois pour gérer des projets, pour réparer ce qui doit l'être et pour trouver des solutions, technologiques ou psychologiques, afin d'apporter votre contribution au bien commun. Tandis que maison 10 vous met face à vos responsabilités, la maison 11 vous permet de prendre conscience de La Nécessité, celle qui découle des lois spirituelles qui régissent l'évolution humaine. Elle est aussi d'une certaine façon votre représentation idéale de la société et de l'humanité. Elle vous confère une ouverture multidimensionnelle vers l'inconnu, la nouveauté et l'évolution spirituelle.

Calcul : Additionnez les nombres en maisons 1+ 8 + 9 + 10.

Nombres en maison 11 :

La maison 11 est celle de la force collective, du groupe, du réseau et des solutions « obligatoires » si vous voulez progresser et vous libérer. Un nombre en maison 11 est la clef que vous n'avez pas naturellement tendance à utiliser. Vous avez cependant tout le potentiel nécessaire pour vous en servir. Il faut juste fournir les efforts appropriés. Vous vous apercevez très rapidement que quand vous utilisez ce que représente le nombre comme clef pour générer des solutions, en faisant, si cela est judicieux, appel au groupe et au réseau, toutes les portes s'ouvrent.

Exemple : LE NOMBRE 12 (PENDU) EN MAISON 11 :

Remarque : Ce nombre n'est pas particulièrement en analogie, et donc compatible, avec la maison 11. Il ne facilite donc pas, à première vue, la possibilité d'exprimer les besoins de la maison. La maison 11 ayant la capacité de libérer le potentiel positif d'un nombre, il est nécessaire d'identifier la clef que vous avez choisie, de comprendre pourquoi vous avez choisi cette clef spécifique dans votre Diamant de Naissance, puis de l'utiliser. Pour accéder à la clef de ce nombre, il y a une nécessité de vous fier à votre intuition et à votre ressenti, de ressentir l'ambiance et l'énergie vibratoire des lieux, d'être inspiré(e), de vous glisser dans le flot des événements comme un poisson dans l'eau, de vivre en fusion émotionnelle ou en symbiose avec la situation et les personnes qui la composent mais aussi de prendre un certain recul, de vous situer au-delà du matériel et de donner du sens, d'intégrer des valeurs spirituelles et d'agir selon les lois spirituelles.

Il peut également être nécessaire de vous dévouer à une cause ou à une institution, de dépasser une peur de l'abandon, de soulager les souffrances et les misères du corps, de l'âme et du monde, d'aider chacun à découvrir le Christ (le sacré, la lumière incarnée, la foi et l'amour inconditionnel) en soi, de savoir lâcher prise en acceptant les gens et les situations telles qu'elles sont, d'avoir la foi, d'exprimer la force de la foi, d'apprendre à pardonner et enfin de faire preuve de dévotion, de charité, de compassion et d'amour inconditionnel. Vous êtes particulièrement sensible à la souffrance et aux misères du monde.

Vous êtes sans doute fortement impacté(e) par vos mémoires généalogiques et vos mémoires d'âmes, ou par des croyances religieuses.

Vous avez aussi une ouverture de conscience vis-à-vis des courants d'amour inconditionnel qui inondent discrètement l'univers. Ces courants vous font prendre conscience de l'immensité de la vie dans toutes ces dimensions, de la puissance de Dieu et de l'éternité de la vie, où chaque être humain est une petite goutte d'eau dans l'océan du collectif. Dans le cas de ce nombre, il est particulièrement bénéfique d'effectuer le travail nécessaire pour libérer votre arbre généalogique et vos vies passées. Vous pouvez également accéder à la liberté intérieure à travers l'nombre complémentaire du nombre 12 (Pendu), par le nombre 10 (La Roue), en développant vos capacités analytiques et votre sens du discernement, en utilisant votre intelligence technique, votre sens commercial et vos capacités d'adaptation pour faire tourner la roue de la vie, en gérant l'information avec précision, en sachant vous organiser avec habileté et en effectuant des stages pratiques de développement personnel. Il y a aussi une nécessité d'inverser vos croyances et d'inciter autrui à inverser les leurs, de changer vos points de vue quand ils sont inadaptés, de fuir ou de savoir attendre quand cela est nécessaire, de vous libérer des croyances qui vous retiennent et vous empêchent d'avancer tout en sachant utiliser les compétences que vos « mémoires » vous ont transmises. Dans votre vie, les solutions passent donc par la nécessité de vous laisser guider et porter par les courants du hasard ou de vos aspirations profondes, de générer de la fluidité et de créer de la magie et de l'enchantement là où vous êtes. Vous pouvez alors utiliser la magie de la foi et de l'amour inconditionnel, celle capable de « soulever même des montagnes ».

Et vous êtes particulièrement capable de le faire dès lors qu'il s'agit de concrétiser des projets, de vivre des expériences inconnues ou d'explorer de nouveaux horizons, de trouver des solutions, de faire des réformes visant à améliorer les situations, d'utiliser des nouvelles technologies, de vous créer un réseau ou de participer à des activités de groupe, de vivre de riches échanges amicaux, de libérer ce qui doit l'être ou lorsqu'il s'agit de vous adapter à la vie moderne. Vous pouvez être attiré(e) par des amis hypersensibles, évolués, mystiques et créer des liens amicaux indissolubles parce qu'établis sur des plans élevés. Vous pouvez avoir de vastes idéaux sociaux, humanitaires ou spirituels mais aussi des conceptions qui dépendent de vos mémoires généalogiques ou qui prennent en compte les mémoires de vos vies passées. Vous pouvez avoir du mal à vous projeter dans l'avenir de façon bien définie et pouvez vous projeter dans l'avenir comme quelqu'un vivant au jour le jour, comme quelqu'un qui participe à une collectivité ou à un groupe plus large ou comme une personne en cheminement spirituel. En utilisant la clef du nombre du Pendu et de son complémentaire le Roue de Fortune, vous pouvez alors pleinement exprimer votre potentiel et réaliser votre mission de vie.

Exemples : Degas (19/07/1834), Thomas Edisson (11/02/1847), Général De Gaule (22/11/1890), Frédéric Nietzche (15/10/1844).

LA MAISON 12 : En lien avec l'élément eau et le signe des Poissons.

Noms de la maison : Passer de la souffrance à l'enchantement et à la transcendance, ce qui fait souffrir et ce qui permet d'accéder à un état de transcendance, d'enchantement, de bonheur intense de l'âme de part la communion avec le Divin, la porte des ancêtres et une mémoire généalogique très importante, le phare qui me guide, la fin de l'histoire.

Définition de la maison : Parce qu'elle est associée à des mémoires individuelles ou collectives (mémoires dites de vies passées), la maison 12 peut initialement être une source de souffrance. Au-delà de cette facette potentiellement difficile, la maison 12 est la porte de votre transcendance, de votre enchantement et la destination la plus élevée que vous pouvez atteindre quand vos ressources ont été pleinement développées, quand votre quête initiatique de la maison 8 et son trésor ont été révélés et quand votre mission de vie a été accomplie.

Tel un objectif à long terme ou un phare vous servant de repères, elle vous permet de vous projeter dans l'avenir vers l'image de vous réalisé(e) en étant la meilleure version de vous-même. Elle est révélatrice du but ultime de votre destinée. Elle est votre moyen d'accéder à votre vérité profonde, à la transcendance et de guérir en vous ce qui doit l'être. Elle est l'épitaphe, l'image, l'héritage que vous laisserez à la postérité. La maison 12 représente le dépassement de vos limites, les sacrifices nécessaires à l'évolution, l'intégration de l'inconscient collectif et de votre hypersensibilité. Elle représente aussi votre âme éternelle, les vies antérieures de votre âme et votre jugement dernier, c'est à dire le jugement que vous avez sur vous, votre foi en l'avenir, votre recherche d'évasion et de transcendance, vos aspirations religieuses ou mystiques et votre capacité à participer à une expérience collective.

Calcul du nombre en maison 12 : Il correspond à l'addition des nombres en maisons 2 + 8 + 10.

Remarque : Cette maison peut également être caractérisée par le nombre obtenu à partir de la somme des nombres des maisons 1+6+7.

Nombres en maison 12 :

Vous êtes dans cette maison particulièrement sensible aux souffrances et aux misères du monde, au risque de vous identifier à elles. Le nombre dans cette maison est alors parfois synonyme de souffrances, de sacrifices et d'un chemin spirituel qui mène à la guérison. Le nombre en maison 12 vous permet de passer de la souffrance à la transcendance et à la joie de l'âme, en utilisant vos ressources, en passant par votre vérité profonde et en cheminant vers le meilleur de vous-même. Il révèle votre objectif à long terme, le phare vous servant de repère pour vous projeter dans l'avenir vers l'image du meilleur de vous-même, où la petite goutte d'eau que vous êtes retourne à sa Source Divine. Il est aussi la façon dont vous écrivez la fin de votre histoire. Il vous invite à vivre d'autres formes de conscience. Celles-ci passent par un détachement intérieur, par un déconditionnement de votre vécu extérieur et des influences de la société, par la perception d'images, de symboles, d'archétypes, de légendes, d'émotions collectives et de vérités spirituelles et par un sens aigu du sacré. Le nombre vous invite à dépasser votre égo et l'étroitesse de votre intellect pour évoluer spirituellement afin d'accéder aux plans supérieurs, mais sans renier ou négliger l'expérience concrète de la vie.

Exemple : LE NOMBRE 13 (NOMBRE SANS NOM) EN MAISON 12 :

Ce qui au départ peut vous faire souffrir, c'est la laideur et la saleté, les déséquilibres et les problèmes, le fait de ne pas comprendre les causes des situations ou les mystères de l'existence, c'est une peur de la mort ou un don de médiumnité, c'est le fait que rien ne change ou au contraire que tout change tout le temps ou c'est de ne pas pouvoir faire le deuil, évacuer, éliminer, dépolluer et transformer ce qui doit l'être. Votre objectif de vie à long terme, ce que vous pouvez faire de mieux de votre vie, votre moyen d'accéder à la transcendance et de guérir, ce que vous laisserez à la postérité, ce par quoi vous allez développer votre foi, votre sens du pardon et votre amour inconditionnel sont liés à votre capacité à voir derrière les apparences, à transformer et à vous transformer. Ils sont également liés à votre capacité de couper totalement avec le passé et de faire le deuil, de terminer ce qui doit l'être et de balayer ce qui n'est plus, d'aller à l'essentiel, de savoir gérer les crises et les conflits, de dépasser vos blessures et vos traumatismes, d'assurer la sécurité, de gérer vos angoisses, d'apprendre à écouter et gérer vos pulsions inconscientes, de résoudre des difficultés complexes, d'aller explorer l'au-delà à travers les sorties hors du corps, d'avoir clairement conscience de votre identité réelle, de trouver et de vivre votre vérité profonde et d'intégrer votre dimension éternelle. Ce que vous laissez derrière vous peut alors radicalement changer la vision des personnes, des choses et de la réalité.

Exemple : Carlos Castaneda (25/12/1925).

LA SOURCE DE RAYONNEMENT

Définition : C'est la carte qui est située au centre du Diamant. C'est elle qui vous permet de faire briller votre lumière, de rayonner et de donner le meilleur de vous-même. Elle est en lien étroit avec votre nombre de réalisation et avec votre chemin de vie. Elle facilite l'expression de toutes vos ressources, la résolution de votre contradiction et la capacité à trouver des solutions à tous vos défis. Elle est votre « Porte du Soleil ».

Calcul du nombre en maison de la Source de Rayonnement : Ce nombre correspond à l'addition des nombres dans les maisons 2 et 10.

Le nombre au centre du Diamant, en source de rayonnement :
Ce nombre est votre « Porte du Soleil ». Il vous permet d'optimiser vos ressources, de surmonter vos défis et votre contradiction, de donner le meilleur de vous-même, de faire briller votre lumière, de rayonner et d'accomplir votre mission sur la Terre. Plus vous exprimez les aspects positifs du nombre et plus vous pouvez briller et accomplir votre mission.

Exemple : LE NOMBRE 15 (DIABLE) EN SOURCE DE RAYONNEMENT

Remarque : Ce nombre n'est à priori pas particulièrement compatible avec la « Source de Rayonnement ». Il ne facilite donc pas, à première vue, la possibilité d'exprimer les besoins de la maison. Il est pourtant possible de rayonner les aspects lumineux du nombre et de considérer que pour rayonner sa lumière, il est nécessaire de gérer ses ombres et d'exprimer son pouvoir de séduction. Pour exprimer tout votre potentiel, pour optimiser vos ressources, pour solutionner vos défis et votre contradiction, pour être dans votre axe de vie, pour vous réaliser et pour rayonner le meilleur de vous-même, vous devrez explorer et gérer le côté obscur de la nature humaine, prendre en compte et gérer le saboteur qui existe en vous, gérer et transcender vos peurs et vos angoisses, vos blessures ou vos traumatismes, résoudre des difficultés, des crises, des conflits et des problèmes, détruire ce qui doit l'être, traiter et éliminer les toxines et les déchets physiques ou psychologiques qui vous polluent la vie puis développer votre lucidité et votre pouvoir personnel.

Cela implique de prendre conscience qu'il y a un envers du décor, une réalité cachée derrière les apparences et plus précisément qu'il y a des zones d'ombres présentes dans cette réalité invisible aux effets bien visibles. A un niveau individuel, cette part d'ombre se traduit par la présence du saboteur en soi, dont le rôle est de détruire ce qui n'a plus lieu d'être mais aussi de révéler le pouvoir matériel générateur d'abondance. Cela implique d'utiliser des compétences pour accéder aux profondeurs de votre inconscient, de celui des autres et de celui de l'humanité, pour vivre une sorte d'échange médiumnique avec votre milieu, pour voir clairement derrière les apparences et dans l'obscurité, pour pressentir les non-dits, les sous-entendus, les craintes et les angoisses non exprimées, pour trouver et exploiter les failles de vos adversaires, pour identifier les tensions, les risques et les difficultés présents dans la situation, pour déceler les causes de ce qui existe dans l'instant présent, pour décoder les signes et les symboles et pour élucider les énigmes. Intégrer cette position passe donc par une capacité à explorer et gérer le côté obscur de la nature humaine et notamment le saboteur qui existe en chaque personne, à maîtriser vos émotions et le suspens, à maîtriser votre énergie, vos instincts, vos pulsions, votre sexualité et votre passion, à vous fier à votre flair et à votre instinct, à faire preuve d'audace et de combativité, à braver le danger, à briser ce qui vous enchaine, à utiliser les failles et les faiblesses des autres et à faire preuve d'une redoutable intelligence stratégique teintée d'une grande ténacité pour maîtriser le monde de la matière. C'est en mettant votre pouvoir et votre lucidité au service de la vie que vous parvenez à rayonner. Quand vous parvenez à intégrer votre côté obscur, vous devenez alors une personne magnétique, passionnée, instinctive, intense, énergique, intrépide, audacieuse, avec un puissant pouvoir de séduction et d'influence. Vous savez tenir compte de tous les paramètres et surtout de ceux qui sont occultés. Vous savez parfaitement fonctionner à l'instinct, au flair et en fonction de vos pulsions. Vous savez aussi être agressif et offensif, provoquer le suspens, susciter des émotions intenses et lutter avec détermination pour atteindre vos objectifs. Vous devenez un être passionnant, capable d'exploiter les courants d'énergie du monde invisible qui sont nécessaires pour générer l'abondance matérielle et pour accéder à la lumière. Vous pouvez ainsi révéler tous les dysfonctionnements et les mystères de la vie et de la mort afin de faire apparaitre la lumière. Vous pouvez alors générer de profondes transformations là où vous êtes.

Exemples: William Roengten (27/03/1845), Keanu Reeves (02/09/1964), Rafael Nadal (03/06/1986), Elie Saab (04/07/1964).

Les nombres dans les maisons de la base du Diamant.

La base du diamant constitue le cœur de votre être autour duquel s'articule le diamant. Cette base est constituée d'une partie initialement cachée, jusqu'à ce qu'elle soit révélée et de votre dominante, c'est-à-dire les comportements schémas et ressources auxquelles vous faites toujours appel et que vous avez toujours à votre disposition dans votre vie.

L'INTENTION D'INCARNATION – Un idéal de réalisation

Bien avant votre naissance, vous aviez un besoin, un idéal, une intention et un objectif d'incarnation. Le nombre dans la maison de l'intention de l'âme répond à la question « Qu'est ce que j'aimerai réaliser sur Terre et comment faire ?» Il indique un besoin profond et le plus souvent inconscient. Entendre votre intention d'incarnation vous permet de vous connecter à votre être profond et d'avancer vers votre réalisation.

Calcul du nombre : C'est la somme des nombres en maisons 8 + 9 + 10.

EXEMPLE: LE NOMBRE 14 (TEMPERANCE) EN INTENTION D'INCARNATION

Vous avez au plus profond de vous une mémoire particulière, un idéal spécifique et une intention précise. Vous êtes ainsi venu sur Terre pour satisfaire un besoin d'être « connecté » avec des gens, des informations ou des réseaux d'informations, d'incarner la volonté de la Source de toute vie ou de l'univers, de promouvoir des valeurs humaines, d'utiliser votre intelligence psychologique ou technologique afin de jouer un rôle dans le monde moderne, travailler en réseau ou animer un groupe, gérer des informations, réparer ce qui doit l'être, trouver des solutions, aider les autres, apporter du progrès et de l'espoir et créer un monde meilleur.

Vous avez aussi besoin de gérer des projets complexes, de maîtriser des technologies, de conseiller et de guider autrui en indiquant le chemin à suivre, de vous adapter à l'inconnu, à l'imprévu et à la vie moderne, de créer un espace afin de permettre à la nouveauté et à la régénération d'exister dans votre vie, d'exprimer votre spécificité et l'Ange qui est en vous, de vous sentir libre et enfin de vivre libre et heureux et dans la joie.

Cela implique d'exprimer votre remarquable intelligence qui est à la fois logique et intuitive, technique et psychologique, d'être une personne multidimensionnelle et polyvalente, atypique et paradoxale, humaine et fraternelle, à la fois douce et dynamique, tranquille et très vive d'esprit, de communiquer clairement en vous synchronisant avec autrui, de vous libérer des influences familiales et sociales, de vous relier à l'espace, au temps, à l'énergie de vie, à l'univers et à l'ordre universel qui sous-tend toute vie, d'avoir conscience de la Nécessité, de cultiver un état de calme intérieur joyeux et vibrant, de savoir passer d'un état à un autre, de gérer des transitions, de faire appel à des schémas, des concepts et des idéologies, de transférer de la lumière et des informations, d'être autonome et libre de toute dépendance, d'être à l'écoute des coïncidences et des synchronicités mais aussi de les créer et enfin d'harmoniser et de guérir ce qui doit l'être.

L'APPEL DE L'AME.

Il y a au fond de votre âme un appel, un cri qui résonne comme un besoin profond. Cette maison décrit ce que veut votre âme.

Calcul du nombre en maison : C'est la somme des voyelles de votre nom et prénom. **Exemple :** Charlotte Perrin = 1+6+5+5+9=26=8.

1	2	3	4	5	6	7	8	9
A	B	C	D	E	F	G	H	I
J	K	L	M	N	O	P	Q	R
S	T	U	V	W	X	Y	Z	

Nombres en appel de l'âme : Ce nombre décrit un besoin profond et souvent inconscient, qui peut être lié à des mémoires, alors que le nombre d'expression indique un besoin conscient. Le nombre dans cette maison vous permet de prendre conscience de cet appel, de ce cri et de ce besoin qui vous permet alors d'avancer vers plus de liberté.

Exemple : Nombre 20 : LA RESURRECTION EN APPEL DE l'ÂME

Au plus profond de vous, ce qui résonne comme un appel de votre âme ou comme un cri de l'âme, c'est un besoin, mais aussi des compétences, pour vous relier aux profondeurs de votre âme et de votre inconscient, écouter votre intuition et les messages de la vie, être dans l'instant présent, percevoir les énergies invisibles et les vibrations, prier et avoir la foi, pour avoir une parole juste et pertinente, révéler ce qui doit l'être, effectuer des prises de conscience et pour adopter une vision nouvelle. Vous ressentez aussi un fort besoin et des compétences communiquer, informer, diffuser l'information et apporter un enseignement, pour être le porte-parole d'un message annonciateur, vous adapter à l'imprévu et vous renouveler en permanence, donner du sens et apporter de l'espoir, secouer et bouleverser ce qui doit l'être, guérir le corps et l'âme par la parole, le son et l'action, pour libérer en aidant chacun à accoucher de lui-même, permettre à chacun de ressusciter et d'avoir une seconde chance, éveiller les consciences, vibrer à l'unisson de la musique, élever votre vision et avoir conscience du sacré au quotidien, vous organiser efficacement de façon à gérer des projets complexes, maîtriser des technologies et pour vous adapter à la vie moderne. Votre âme vous demande ainsi de découvrir et vivre le pouvoir de la résurrection.

LA RESSOURCE CACHEE

Cette ressource est comme une graine que vous portez en vous à votre naissance. Elle est un cadeau de la vie. Comme toute graine, elle a besoin d'un sol propice, d'eau et de soleil pour évoluer. Elle vous apporte un ensemble de compétences et de qualités qui font intimement partie de vous, mais qui sont plus ou moins cachées jusqu'à ce qu'elles soient révélées.

Calcul du nombre en maison de la ressource cachée : Le nombre dans cette maison s'obtient à partir de la somme des deux derniers nombres de votre année de naissance. **Exemple :** 1998 = 9+8=17.

Nombres de ressource cachée :

Le nombre dans cette maison est l'une de vos ressources dominantes, sur laquelle vous pouvez vous appuyer si vous apprenez à la développer, en soutien aux maisons 1,2, 3, 9 et 10, pour faire en sorte que la graine devienne une plante heureuse et épanouie.

Les ressources décrites dans ce nombre constituent un atout à révéler que vous pouvez et devez utiliser pour avancer vers votre épanouissement.

Exemple : LE NOMBRE 7 (CHARIOT) EN RESSOURCE CACHEE :

Si vous cherchez au fond de vous, vous trouverez des facilités pour définir les objectifs et une trajectoire qui sont justes pour vous, pour trouver les ressources et des solutions d'organisation nécessaires pour les atteindre, pour trouver votre voie dans la vie, pour vous donner l'autorisation et la permission de réussir, pour vivre ce que vous avez envie de vivre, faire ce que vous avez envie de faire et aller là où vous avez envie d'aller, pour vous motiver, passer à l'action et vous mettre en mouvement.

Vous trouverez des facilités pour entreprendre, pour organiser des voyages ou des expéditions, pour oser, pour vous affirmer et vous mettre en valeur, jouez un rôle central sur les devants de la scène, pour faire preuve d'autorité, pour être opérationnel et performant sur le terrain, pour vous maîtriser et maîtriser les événements, pour gérer des situations nécessitant une certaine organisation, pour vous intégrer dans une organisation ou dans un projet, et pour être une personne dynamique et performante, capable d'atteindre ses objectifs et sa destination tel, symboliquement, un général qui mène ses troupes au combat et à la victoire.

Ces richesses sont autant de qualités que vous devez exprimer et développer pour vous épanouir, réaliser votre mission de vie et nourrir votre évolution. Vous pouvez également accroître la richesse du Chariot en étant capable de prendre en compte l'envers du décor, d'accepter vos ombres, votre saboteur, vos angoisses et de les gérer, d'exprimer votre sexualité de façon épanouie, de vivre vos passions, de gagner de l'argent et de mettre votre pouvoir au service de la vie.

LE DEFI CACHE

Ce défi est beaucoup moins visible que votre difficulté majeure en maison 7 ou que les difficultés répétitives de votre maison 6, mais il constitue une épine que vous devez retirer de votre pied pour avancer en toute liberté. **Calcul du nombre en maison du défi caché :** Il s'obtient par le nombre en Maison 1 moins celui en maison 9 ou l'inverse. On soustrait le plus petit du plus grand.

Nombres en défi caché :

Ce nombre révèle une problématique souvent cachée. Il est nécessaire de l'identifier et de s'en occuper pour avancer en toute liberté.

Exemple : LE NOMBRE 18 (LUNE) EN DEFI CACHE

Vous pouvez avoir une certaine difficulté à exprimer vos émotions, à sortir d'une confusion émotionnelle, de vos préoccupations et de vos angoisses, à écouter votre intuition, à gérer votre vie quotidienne, à créer ou à perpétuer la vie ou une vie familiale, à être mère ou à assumer un rôle de mère, à vous ressourcer à travers le foyer et des valeurs refuges, à être bien dans votre foyer, à utiliser votre ressenti et votre intelligence émotionnelle, à exprimer votre enfant intérieur, votre imaginaire et votre créativité, à créer des liens émotionnels forts avec autrui, à raconter des histoires qui stimulent l'imagination, à vivre vos rêves ou à perpétuer des traditions. Vous pouvez parfois avoir tendance à vivre dans l'illusion, la dépendance, le mensonge, l'angoisse, la subjectivité et la confusion mentale. Ces difficultés font obstacle à la réalisation de votre mission de vie et à votre évolution. Pour surmonter ce défi, vous pouvez développer les valeurs du nombre complémentaire, l'Empereur, c'est-à-dire la logique, un sens des limites et des capacités à vous structurer et à canaliser votre émotionnel lors d'une démarche d'insertion professionnelle, dans une activité professionnelle, dans une activité en lien avec le bien-être, la nourriture, un public ou les enfants, par exemple.

LA CONTRADICTION

Définition : L'âme humaine est composée d'une multitude de forces, tout comme notre univers qui est constitué de très nombreuses galaxies. Certaines galaxies ont en leur centre une étoile double, c'est-à-dire deux Soleils inséparables. La maison de la contradiction renferme ainsi deux nombres dont l'un est l'équivalent en base 22 de son cousin en base 9.

L'on observe le nombre obtenue par l'addition des Nombres en maison 6 et en maison 7 puis l'on considère le nombre binôme le plus proche numériquement.

Nombres en base 9 et leurs équivalents en base 22								
1	2	3	4	5	6	7	8	9
10	11	12	13	14	15	16	17	18
19	20	21	22					

Cachée au fond de vous, il y a une contradiction source de conflit, qui est à la fois un point fort et un point faible, une richesse et un défi, quelque chose qui vous attire comme un aimant mais qui en même temps vous dérange profondément. Le nombre en contradiction décrit un état et des situations que vous créez dans votre vie et qui vous mettent souvent mal à l'aise. Et pourtant cet état et les compétences que vous êtes capable exprimer sont une puissante force au cœur de votre âme. Cette contradiction se traduit par un conflit intérieur qui limite votre croissance et qui est l'une des sources de vos difficultés à aller vers une vie meilleure. Elle vous oblige à vous confronter à vous-même et à changer votre vision du nombre concernée, en revoyant la structure même de votre être et en effectuant un travail sur vous, en lien avec l'nombre.

Si ce conflit n'est pas résolu, si vous continuez à nourrir votre contradiction, vous n'avancez pas et vous resté(e) bloqué(e) dans les difficultés en lien avec le nombre concerné. Ce conflit est souvent projeté sur les autres et il se traduit alors par des difficultés relationnelles. Dans un second temps, votre nombre de contradiction décrit les solutions accessibles pour dépasser votre conflit intérieur, les clefs pour ouvrir la serrure fermée et ce qui peut vous faire avancer vers une vie meilleure.

Quand la problématique de fond en lien avec le nombre est résolue, alors votre contradiction devient une source de force, un tremplin et un catalyseur qui vous permet d'accéder à la réalisation de vous-même et à la transcendance. Ce nombre ouvre alors une porte vers une vie nouvelle.

Pour dépasser votre contradiction, vous pouvez vous aider des aspects positifs du nombre. Vous pouvez surtout faire appel aux ressources liées aux nombres qui sont naturellement bien intégrés, comme les nombres en maison 1, 2, 5 et 11. Vous pouvez également faire appel aux expériences des maisons où se trouvent les nombres complémentaires à ceux des maisons 1, 2, 5 et 11, s'ils sont présents dans le Diamant. (Voir chapitre sur les nombres complémentaires). Carte X + carte complémentaire = 22.

Si le nombre complémentaire du nombre en contradiction n'est pas présent dans le Diamant de Naissance, les personnes qui ont ce nombre complémentaire dans leur Diamant de Naissance peuvent vous aider à résoudre la problématique de votre contradiction.

Calcul du nombre en contradiction : M6+M7.

Nombres en contradiction :

Ce nombre révèle la contradiction majeure cachée au fond de vous ! Cette contradiction se manifeste à la fois par une puissante ressource et une puissante difficulté à accepter, à avouer, à aimer et à utiliser cette ressource ! De quoi vous vous plaignez, à propos de vous ou de votre vie ? Qu'est ce que vous reprochez toujours aux autres ? Qu'est ce que à la fois vous voulez mais vous ne voulez pas, ou vous préférez que ça ne se sache pas ! La réponse à ces questions, en lien avec votre nombre en position de contradiction, est souvent un indice révélateur de votre contradiction.

En identifiant la partie du nombre qui vous pose un problème, qui est une source de conflit, puis en recherchant les facettes supérieures du nombre mais aussi de sa complémentaire, en utilisant vos ressources, par exemple celles qui sont en maison 1, 2,5 et 11, vous pouvez transformer votre contradiction en un puissant levier pour avancer et pour vous réaliser.

Exemple : LE NOMBRE 10 (LA ROUE) EN CONTRADICTION

Il y a en vous une puissante capacité à comprendre le sens de votre destinée mais aussi l'enchainement des événements extérieurs qui font l'histoire et les rouages de la vie, comme si votre pendule était arrêtée sur l'éternité. Vous avez de grandes capacités à innover et à vous sortir des schémas répétitifs, à faire évoluer l'existant ou à inventer du neuf à partir de l'ancien, à expérimenter des outils et les techniques permettant de faire avancer la vie, à utiliser votre intelligence et votre sens commercial pour vous adapter à la réalité, à être un mécanicien de la vie, à comprendre le fonctionnement des choses, à savoir tenter votre chance, à prendre les choses en mains et à savoir redémarrer autrement quand c'est nécessaire. Et pourtant, une problématique en lien avec ce nombre fait que soit vous n'exprimez pas toutes les qualités décrites précédemment parce que vous refusez initialement de les exprimer, soit vous les exprimez à l'excès, soit vous les considérez comme sans valeur voire honteuses et vous les exprimez de temps à autre quand cela vous arrange tout en râlant à leur propos, soit vous les exprimez mais cela vous coûte énormément ! Pourquoi ? Quelles sont la vision, les croyances et les peurs qui vous freinent dans l'expression harmonieuse de cette carte ? Pouvez-vous observer et reconnaitre que vos difficultés en lien avec cette carte font obstacle à la réalisation de votre mission de vie et à votre évolution?

La difficulté de ce nombre est qu'il donne une tendance à penser en permanence et à vous faire croire que c'est un état normal, alors que seule une présence intense et centrée dans le cœur et dans votre corps tout entier vous permet de réellement prendre conscience de qui vous êtes. Cela peut vous conférer une tendance à intellectualiser votre ressenti, vos sentiments et vos élans relationnels au lieu de les vivre et à passer à côté de la joie du partage tant que vous n'êtes pas à l'écoute de votre âme ! Il est donc important pour vous d'être le maître de votre intelligence et de savoir débrancher votre super cerveau quand cela est juste afin d'accéder à votre être intuitif authentique.

Peut-être portez vous une mémoire d'instabilité, de mouvement perpétuel empêchant le bien-être, d'une utilisation excessive ou abusive de la capacité à penser ou d'un revers de fortune où la roue du destin s'est grippée, a tourné dans le mauvais sens et où tout à été perdu. Vous êtes ainsi peut-être venu(e) sur terre pour sortir de schémas répétitifs, pour refaire tourner la roue de la vie dans le bon sens, pour utiliser votre intelligence constructivement afin de vous adapter et pour créer un nouveau cycle de vie. Il ne dépend que de vous d'effectuer un travail sur vous-même et de vous transformer afin que s'exprime uniquement ce qu'il y a de meilleur en vous. Sans doute devez-vous apprendre à acquérir une vision plus positive de la Roue de Fortune, ce qui implique de modifier vos croyances. Elles doivent être transformées pour que vous soyez libre et heureux(se), ce que vous pouvez faire en acceptant et en voyant l'aspect positif de l'intelligence, du commerce, du travail, du mouvement, de l'adaptation, des techniques et des forces qui gouvernent la destinée. Pour franchir la porte d'une vie nouvelle, vous libérer et vivre le meilleur de vous-même, vous devez exprimer et développer les compétences nécessaires pour :

- comprendre le sens de votre destinée et des événements extérieurs qui font l'histoire,
- innover et pour vous sortir des schémas répétitifs, en vivant votre propre vie,

- faire évoluer l'existant ou pour inventer du neuf à partir de l'ancien,
- expérimenter les outils et les techniques permettant de faire avancer la vie,
- utiliser votre intelligence et votre sens commercial afin de vous adapter à la réalité,
- être un mécanicien de la vie et comprendre le fonctionnement des choses,
- savoir tenter votre chance,
- prendre les choses en mains et pour savoir redémarrer autrement quand c'est nécessaire.

Pour surmonter la difficulté de la Roue, vous devez également développer les qualités du nombre complémentaire (12- Le Pendu), en apprenant à vous intérioriser, à expérimenter le silence et la méditation, à vous détacher intérieurement tout en étant présent extérieurement, à écouter votre être profond, à prendre conscience des cycles qui habitent votre âme, à vous relaxer, à vous détendre, à lâcher prise, à être fluide, à inverser vos points de vue, à sortir du mental, à vous ouvrir à la force de la foi, de l'amour inconditionnel et du pardon, à exprimer votre intuition, à gérer les mémoires que vous portez en vous (mémoires ancestrales et/ou mémoires d'âmes) et à travailler sur votre généalogie afin de vous en libérer. Il est judicieux d'accorder une attention particulière à la maison occupée par le nombre complémentaire du nombre 10 si ce nombre est présent dans votre Diamant de Naissance. Si le nombre 12 (Pendu) n'est pas présent dans votre Diamant, il est alors judicieux de côtoyer des personnes qui expriment positivement ce nombre. Vous pouvez alors devenir un spécialiste des outils et des techniques permettant d'avancer dans la vie, un génie au service de la vie ou simplement une personne intelligente qui sait s'adapter, avancer sur son chemin et faire tourner la roue de la vie dans le bon sens.

Exemples: Nicolas Copernic (19/02/1473), Fidel Castro (13/08/1926), Edgar Cayce (18/03/1877), Jean Cocteau (05/07/1889), Padre Pio (25/05/1887).

LE NOMBRE ANNUEL

Définition : Votre nombre annuel décrit un ensemble d'expériences que vous pouvez vivre durant votre année, d'anniversaire à anniversaire et des énergies disponibles que vous pouvez exprimer. Il apporte une ressource annuelle.

Quand ce que représente le nombre présent dans cette maison est géré en conscience dans une optique d'évolution, ses énergies et les expériences qu'il représente peuvent vous aider à avancer vers votre vérité profonde, à être libre et heureux(se) et à réaliser le potentiel de votre Diamant de Naissance.

Ce nombre mérite une attention particulière quand :

- Il est déjà présent une ou plusieurs fois dans le Diamant. L'énergie de ce nombre entre alors en résonnance avec la maison du Diamant hébergeant un nombre identique.
- Son nombre complémentaire pour faire un total de 22 est présent dans le Diamant de Naissance.
- Il a une valeur de 18 ou 19. Ces deux nombrent symbolisent la Lune et le Soleil. Les années marquées par ces nombres sont souvent particulières.

Calcul du nombre en maison de la carte annuelle : M2+année numérologique universelle.

Exemple : Si nous sommes en 2013 (2+0+1+3=6), une personne ayant dans son Diamant de naissance le nombre 17 en maison 2 aura un Pape en carte annuelle. (17+6=23=5). Nous pouvons déjà remarquer, que dans ce cas, la carte annuelle est le nombre complémentaire de celle de la ressource maison 2. Cela induit la possibilité, au cours de l'année, de compléter l'expression de sa richesse.

Nombres annuels : Le nombre annuel révèle un champ d'expériences que vous pouvez vivre durant l'année en cours et des énergies disponibles que vous pouvez exprimer. Si votre nombre annuel, ou son complémentaire, existe dans votre Diamant de Naissance, alors la maison où il se trouve sera mise en valeur durant l'année et vous aurez la possibilité de focaliser votre attention sur cette partie spécifique de votre Diamant.

INFO : Si vous ajoutez le mois en cours à votre nombre annuel, en base 9 ou en base 22, vous obtenez des indications sur le climat du mois en cours.

Exemple : LE NOMBRE 6 (AMOUREUX) EN NOMBRE ANNUEL :

Vous avez cette année des facilités pour faire preuve de douceur et d'harmonie, exprimer votre intelligence relationnelle, esthétique, artistique ou corporelle, écouter vos vrais désirs de façon à faire des choix qui vous correspondent, être à l'aise avec votre corps physique, vous relier aux autres et créer des liens sociaux, pour partager, être dans le service, générer de l'abondance, de l'harmonie et de l'équilibre, faire preuve de diplomatie, plaire et séduire, décorer et embellir, aimer et vous engager dans une relation de couple, apporter du bonheur, du plaisir et un sourire aux autres, vous investir dans des activités associatives et pour participer à la civilisation.

LE TEMPERAMENT

Définition : Le tempérament est l'un des éléments plus ou moins conscient de votre dominante psychologique. Il se situe entre votre façon de vous exprimer (Maison 1), vos racines (maison 4) et votre identité profonde (Maison 5). Il vous apporte des ressources mais peut aussi être une source de difficultés suivant les nombres présents dans votre Diamant de Naissance. Il décrit vos tendances naturelles et votre façon d'être quand vous êtes spontané(e), un peu comme une lune dans un thème astral.

Calcul du nombre en maison : M1 + M8 + M8 + M9. On additionne bien deux fois la maison 8.

Nombres de tempérament : Ce nombre révèle comment vous êtes quand vous êtes naturel(le), comment vous vous ressourcez, ce dont vous avez besoin pour vous sentir bien et votre façon d'exprimer votre subconscient. Si le nombre complémentaire amenant à un total de 22 est présent dans votre Diamant de naissance, alors la maison où se trouve ce nombre va favoriser votre bien-être.

Exemple : LE NOMBRE 11 (LA FORCE) EN TEMPERAMENT :

Vous avez une tendance naturelle à avoir un idéal, des valeurs, des repères bien définis, une vision claire et des objectifs pertinents, à être bien centré(e) dans votre cœur et dans votre corps, à être intensément présent(e) en toutes situations, à avoir pleinement conscience de votre valeur et de votre force, à avoir confiance en vous, à faire preuve d'un courage et d'une capacité à lutter jusqu'à la victoire, à gérer consciemment votre énergie, à vous organiser efficacement avec les moyens nécessaires. Vous avez aussi une tendance naturelle à concentrer et maîtriser votre attention, à être relié(e) à votre force d'amour, à la force de l'évidence, à la Source et à ce calme vibrant d'où émerge ce qu'il est nécessaire d'être et de faire à chaque instant, à faire le lien entre l'esprit et la matière, à vous fier à votre intuition et à votre instinct, à exprimer votre sexualité harmonieusement, à vibrer d'amour et à exprimer la puissance de l'amour, à concilier le pouvoir et l'amour, à utiliser votre force avec une grande efficacité et à maîtriser une discipline grâce à la force de votre amour et de votre volonté.

Vous avez également une tendance naturelle à avoir besoin d'aimer et de vous sentir aimé(e) et mis(e) en valeur, à être une personne digne et qui a du cœur, à être à la fois calme mais aussi énergique, passionnée et vibrante, tel un fauve prêt à bondir ; à être franche et sincère, solide, efficace et fiable, à exprimer la force intérieure de l'amour et votre puissante volonté, à être à la fois très lié(e) aux autres, très capable de travailler en équipe ou en groupe mais aussi à être très autonome, à maîtriser votre nature animale, vos instincts, les situations et votre vie. Ces richesses sont alors autant de qualités que vous pouvez exprimer pour nourrir votre évolution.

Si votre tempérament n'est pas judicieusement exprimé ou si vos blessures ne sont pas guéries, vous pouvez alors être un vrai « fauve » et avoir une tendance naturelle à vivre dans le conflit et la violence. Vous êtes ainsi peut-être venu(e) sur terre pour sortir du conflit et de la dualité, pour conquérir votre autonomie et aider autrui à conquérir la leur, pour exprimer votre spécificité et ce que vous dicte votre cœur dans la vérité des choses, pour utiliser votre force constructivement en la mettant au service de la vie et pour vivre des relations intimes dans l'harmonie afin d'être une personne libre, joyeuse et heureuse. Vous avez en tout cas besoin d'être une source de conscience et de force, de vibrer d'amour, d'exprimer la puissance de l'amour, de transformer les événements, d'améliorer ce qui doit l'être, de faire toujours de votre mieux pour donner le meilleur de vous-même, de générer du progrès, de l'autonomie et de la conscience et de mettre votre force au service de la vie.

LA MOTIVATION PROFONDE

Définition : Cette maison vous apporte un ensemble de compétences et de qualités qui font intimement partie de vous et qui sont là pour vous aider à réaliser votre mission sur la Terre en coordonnant les différents nombres de votre Diamant. Ce nombre décrit votre motivation profonde à réaliser votre destinée. Elle est une force d'organisation.

Vous utilisez cette énergie de coordination dès qu'il s'agit de vous exprimer pour faire ce que vous êtes venu faire sur Terre. Cette ressource est particulièrement active durant une période de 9 ans qui commence lorsque se termine la période de votre maison 5.

Calcul du nombre en maison de motivation profonde : M 1 + M 5 + M8.

Nombre de motivation profonde :

Ce nombre révèle les motivations principales auxquelles vous pouvez faire appel pour réaliser ce que vous êtes venu faire sur Terre. Ce nombre est l'une des ressources dominantes sur laquelle vous pouvez vous appuyer, en soutien aux maisons 1,2, 5, 9 et 10 pour coordonner, mettre en place et gérer votre véritable projet de vie. Il révèle et nourrit votre motivation. Il vous permet de vous organiser dans le temps pour avancer.

Exemple : LE NOMBRE 7 (CHARIOT) EN MOTIVATION PROFONDE :

Vous avez de fortes motivations pour définir les objectifs et une trajectoire qui sont justes pour vous, pour trouver les ressources et des solutions d'organisation nécessaires pour les atteindre, pour trouver votre voie dans la vie, pour vous donner l'autorisation et la permission de réussir, pour vivre ce que vous avez envie de vivre, faire ce que vous avez envie de faire et aller là où vous avez envie d'aller, pour vous motiver, passer à l'action et vous mettre en mouvements, pour entreprendre ou organiser des voyages ou des expéditions.

Vous avez aussi de fortes motivations pour oser exprimer votre esprit d'entreprise, pour vous affirmer et vous mettre en valeur, jouez un rôle central sur les devants de la scène, pour faire preuve d'autorité, pour être opérationnel(le) et performant(e) sur le terrain, pour vous maîtriser et maîtriser les événements, pour gérer des situations nécessitant une certaine organisation, pour vous intégrer dans une organisation ou dans un projet, et pour être une personne dynamique et performante, capable d'atteindre ses objectifs et sa destination tel, symboliquement, un général qui mène ses troupes au combat et à la victoire. Vous pouvez également être très motivé(e) par la possibilité de prendre en compte l'envers du décor, d'accepter vos ombres, votre saboteur, vos angoisses et de les gérer, d'exprimer votre sexualité de façon épanouie, de vivre vos passions, de gagner de l'argent et de mettre votre pouvoir au service de la vie. **(Ce nombre est particulièrement compatible avec la maison).**

LA RESSOURCE CLEF

Cette ressource vous apporte un ensemble de compétences et de qualités qui font intimement partie de vous, mais qui sont moins visibles que votre richesse de la maison 2. Vous pouvez les utiliser dès que vous entrez en action. C'est un peu votre « joker » quand vous recherchez une solution ou un emploi par exemple. Si vous ne savez pas quoi faire de votre vie alors développez les qualités de ce nombre et trouvez un métier en lien avec ce nombre et les énergies d'évolution se mettront alors en marche.

Calcul du nombre en maison : Maison 2 + Maison 10 + Maison 11.

Nombres de ressource clef :

Le nombre dans cette maison est l'une de vos ressources dominantes, sur laquelle vous pouvez vous appuyer, en soutien aux maisons 1,2, 3, 9 et 10, pour exercer votre activité professionnelle. Vous avez tendance à l'utiliser dès que vous devez répondre à un enjeu professionnel. Les ressources décrites dans le nombre constituent un atout à révéler que vous pouvez et devez utiliser pour avancer en toute liberté et pour vous épanouir.

Exemple : LE NOMBRE 14 (ANGE) EN RESSOURCE CLEF

Si vous cherchez au fond de vous, vous trouverez des facilités pour vous connecter aux gens, à l'espace, au temps, à l'énergie de vie, à l'univers et à l'ordre universel qui sous-tend toute vie, pour avoir conscience de la Nécessité, cultiver un état de calme intérieur joyeux et vibrant, générer une continuité dans le flux d'énergie qui circule, passer d'un état à un autre, gérer des transitions, faire appel à des schémas, des concepts et des idéologies, vous connecter avec les gens ou avec les informations, transférer de la lumière et des informations, communiquer clairement en vous synchronisant avec autrui, travailler en groupe ou en réseau, être autonome et libre de toute dépendance, pour être à l'écoute des coïncidences et des synchronicités ou pour les créer. Vous pouvez aussi avoir des facilités pour vous accorder des loisirs et des temps de repos, apporter espoir, réconfort, sérénité et tempérance, utiliser votre intelligence technique ou psychologique afin de trouver des solutions et faire progresser la situation, apporter des messages et des solutions là où il y en a besoin, gérer des projets complexes, maîtriser des technologies, pour conseiller, aider et guider autrui en indiquant le chemin à suivre.

Vous pouvez également avoir des facilités pour accepter l'aide d'autrui, faire preuve d'harmonie, d'humanité et de spiritualité, promouvoir les valeurs humaines, servir avec gentillesse, fluidité et efficacité, vous adapter à l'inconnu, à l'imprévu et à la vie moderne, créer un espace afin de permettre la nouveauté et la régénération d'exister dans votre vie, exprimer votre spécificité et l'Ange qui est en vous et enfin vivre libre et heureux. Ces richesses sont autant de qualités que vous devez exprimer et développer pour vous épanouir professionnellement et pour réaliser votre mission de vie. Vous pouvez également accroître la richesse de l'Ange en apprenant à générer la vérité, l'ordre et la justice, en prenant en compte la loi de l'équilibre, le couple et le monde de la forme, en rééquilibrant les déséquilibres, en apprenant à choisir et à trancher, en vivant en harmonie avec les lois cosmiques et les lois des hommes, en comprenant les règles et le fonctionnement de la vie et de la civilisation et en participant activement à la civilisation.

LE NOMBRE D'EXPRESSION

Définition : Il révèle enfin ce que vous êtes venu faire sur Terre, comment vous devez écrire l'histoire de votre vie et ce que vous devez faire pour accomplir votre destinée et votre mission de vie. Il décrit votre façon d'être quand vous vous extériorisez, votre manière de vous exprimer et l'une de vos facettes principales. Il indique également quelle énergie vous êtes venu incarner et vos besoins conscients. Il est toujours intéressant de comparer le nombre d'expression avec celui de l'appel de l'âme et celui du tempérament mais aussi avec la maison 10. Cela permet de vérifier l'adéquation entre votre conscient et votre inconscient et de vous exprimer en accord avec votre chemin d'évolution (maison 10).

Calcul : C'est la somme numérique de votre nom et prénom.

Nombres d'expression (et de réussite) : Il décrit votre

manière de vous exprimer, de vous extérioriser et ce dont vous avez besoin pour vous exprimer. Il renseigne aussi sur ce que vous êtes venu faire/exprimer sur Terre et sur ce que vous devez exprimer pour réussir. Il s'exprime avec les nombres en maison 1 et 9. Il décrit le contexte psychologique plus général dans lequel s'exprime votre nombre en maison 1. Il est donc toujours important de comparer les deux nombres.

Si le nombre complémentaire pour arriver à un total de 22 est présent dans votre Diamant de Naissance, alors ce nombre et la maison où il se trouve favorisent votre expression.

Exemple : LE NOMBRE 22 (MAT) EN EXPRESSION :

Pour vous exprimer et exprimer ce que vous êtes venu faire sur Terre, pour écrire l'histoire de votre vie et pour accomplir votre destinée et votre mission de vie, vous avez besoin :

- d'être sans cadres et en dehors des normes/systèmes et des sentiers battus, de vivre votre propre vérité, d'affirmer votre propre spécificité en vous démarquant des autres.
- d'être toujours en mouvement, de prendre votre baluchon et de cheminer, de vouloir partir à l'aventure explorer de nouveaux horizons.
- de prendre soin de personnes handicapées, inadaptées ou de génies
- d' vouloir être totalement libre de vos mouvements et de vos pensées, d'être totalement libéré(e), d'être avant-gardiste et illuminé(e).
- d'exprimer votre génie créatif, de briser les liens du karma, d'apporter une libération et un nouveau départ et de vivre libre et heureux(se).

LE NOMBRE DE REALISATION DE SOI

Définition : Quand l'être incarné que vous êtes (votre nom+prénom) est exprimé en tenant compte de votre chemin d'évolution (maison 10), il y a alors une « réalisation de soi ». Ce nombre décrit la direction générale de votre vie d'une façon synthétique. Il indique avec quelle énergie vous devez parcourir votre existence et ce que vous devez vivre pour vous épanouir et pour accomplir votre destinée. Il montre là où vous allez inévitablement et l'état d'être qui se développe de plus en plus dans la deuxième partie de votre vie. Il montre ce que vous faîtes avec ce que vous êtes. Il révèle l'arbre donnant ses fruits, le passage de votre histoire à votre légende.

Calcul du nombre en maison : Nombre d'expression + M10.

Nombres de réalisation de soi : Le nombre de réalisation

est un nombre un peu à part car il est le seul à prendre en compte à la fois toutes les lettres de votre identité et tous les nombres de votre date de naissance. Il résume la raison et le sens de votre présence sur Terre et la façon dont votre âme peut se rassembler pour recréer l'unité jadis perdue et se mettre au service de La Source de toute Vie.

On appelle aussi parfois ce nombre « le nombre de mission de vie » ou « le nombre de légende personnelle ». Il est en quelque sorte le Maître ou l'aboutissement du Diamant grâce auquel vous pouvez accéder à votre centre et rayonner.

Exemple : LE NOMBRE 21 (MONDE) EN REALISATION DE SOI:

Pour aller au bout de vous-même, passer de votre histoire personnelle à votre légende personnelle et vous réaliser complètement, vous avez besoin d'explorer le monde et l'espace, de comprendre votre environnement économique et législatif, de vous intégrer dans un groupe ou une organisation ayant des objectifs communs, de participer au monde sur tous les plans, de trouver puis occuper votre place, de prendre votre place dans le monde en jouant votre rôle économique, de voyager, d'être en lien avec l'étranger ou des étrangers, de travailler avec l'étranger et d'avoir une envergure internationale, de vous adapter au monde et à votre environnement, d'aller au bout de vous-même, d'être abouti et réalisé, de vous épanouir, d'être la meilleure version de vous-même et de mettre votre vie au service de la vie, de créer votre bonheur sur Terre, de danser votre vie, de faire de votre vie une œuvre d'art, d'apporter de l'enchantement là où vous êtes, d'incarner l'amour et la sagesse et même parfois de guider les autres dans le monde. Cela passe par la nécessité d'être ancré dans la matière avec joie, de coordonner intelligemment les ressources disponibles et créer des richesses, de la prospérité et de l'abondance, d'incarner votre idéal et votre vision à travers des objectifs, une organisation et une réussite, d'exprimer la puissance de l'amour, d'affirmer votre autorité et votre puissance, de concrétiser vos ambitions et de faire aboutir vos projets, d'élever votre vision, de prendre en compte l'invisible et de passer du sabotage à l'expression de votre passion, de gérer des projets complexes, de réunir les hommes et enfin d'utiliser votre intelligence technologique ou psychologique pour réparer ce qui doit l'être, pour trouver des solutions et pour créer un monde meilleur.

Exemple de métiers : commerce international, import-export, logistique internationale, commerce de gros, grande distribution, homme d'affaires, dirigeant, acheteur, lieux où on délivre des diplômes, guide touristique, métiers liés aux voyages, sociologue, ethnologue, guide, consultant, conseiller, créateur, artiste, danseuse, expert, DRH, métiers entraînant le fait d'être connu par le monde ou obligeant à parcourir le monde.

Exemples : Hubert Reeves (13/07/1932), Nicolas Tesla (10/07/1856).

Chapitre 5 : Interprétation des nombres présents plusieurs fois dans votre Diamant de Naissance.

Dans le Diamant de Naissance©, certains nombres peuvent être présents deux, trois et dans de rares cas quatre, cinq ou même six fois. Une maison prend deux fois plus d'importance quand elle est occupée par un nombre présent deux fois dans le Diamant et trois fois plus d'importance si elle est occupée par un nombre présent trois fois dans le Diamant. Cela permet d'effectuer une certaine hiérarchie des maisons. L'interprétation du nombre présent plusieurs fois s'effectue alors d'après la symbolique correspondant au nombre de fois où il est présent, c'est-à-dire par exemple la symbolique du nombre deux, trois ou quatre, cinq où six.

Nombres présents deux fois :

Le nombre deux est à la fois associé à la dualité et à la complémentarité. Il engendre au départ une difficulté nécessitant un réajustement, une négociation et un travail sur soi. On a alors besoin d'une dualité pour exprimer le nombre. Cette dualité peut prendre deux formes différentes. Soit on considère le nombre comme étant difficile, désagréable et perturbateur. Il y a alors un refus de l'exprimer et un manque des qualités représentées par le nombre. Soit il y a au contraire un besoin excessif et compulsif d'exprimer les qualités du nombre et une tendance à forcer les choses. Il est toujours intéressant d'observer le bénéfice secondaire que l'on obtient, où que l'on croit obtenir, à nourrir ses dualités.

Le nombre deux est en lien avec le deuxième nombre qui est personnifié par la Grande prêtresse, gardienne des secrets qu'elle voile ou qu'elle dévoile. Il y a donc des prises de conscience à effectuer pour voir et exprimer les facettes positives du nombre. C'est par la conscience et une réorientation de l'intention et de l'attention que l'on transforme une dualité en atout. La dualité de départ existe afin que l'on exprime le nombre en toute conscience dans toutes ses facettes. La dualité devient alors une complémentarité consciente. Un nombre présent dans deux maisons tisse un lien entre ces deux maisons. La nature de ce lien dépend de la nature des deux maisons et de la façon dont elles sont concrètement exprimées. Et c'est dans le champ d'expériences correspondant aux maisons que la dualité initiale, la difficulté initiale, se manifeste.

Si les maisons concernées sont plutôt harmonieuses (maison 1, 2, 3, 5, ressource clef, compétence de vie, maison 9, 10, 11) les effets de la dualité initiale auront tendance à être atténuées au profit d'une complémentarité mais il y a alors moins de facilités à effectuer des prises de conscience. Si les maisons concernées sont celles qui portent les éléments difficiles du Diamant de Naissance (maison 4, 6, 7, 8,12 et défi caché), la dualité est renforcée mais permet plus naturellement de faire des prises conscience. S'il y a une maison harmonieuse et une maison potentiellement difficile, la situation est plus complexe. Soit on devient initialement confronté(e) à une difficulté dès qu'on exprime une qualité, soit certaines qualités ne parviennent pas à s'exprimer parce qu'elles sont bloquées par la maison « difficile ». Le travail sur soi permet alors de libérer les qualités bloquées puis de faire appel à la maison « harmonieuse » pour rééquilibrer la maison « difficile ». Quand un nombre est présent deux fois, les deux maisons concernées et les expériences que représentent ces deux maisons peuvent alors s'aider mutuellement à prendre conscience de la dualité initiale puis à exprimer le nombre en conscience dans une forme positive.

Exemple : LE NOMBRE 1 OU LE MAGICIEN EN DOUBLE

Vous ressentez sans doute soit un besoin compulsif et excessif, soit un refus et des difficultés récurrentes :

- à faire circuler l'énergie en vous et à vous sentir plein(e) d'énergie,
- à vous motiver, à prendre des initiatives, à avoir confiance
- à savoir comment faire,
- à improviser, à oser
- à démarrer, à vous lever le matin, à naître
- à vous incarner dans la vie et dans l'action,
- à prendre conscience des outils que vous avez, à savoir comment les utiliser et à les coordonner.

Il y a parfois une dualité ou une difficulté liée à la naissance. Ces difficultés nécessitent d'effectuer un travail sur vous de façon à vivre cette carte en conscience et d'une façon harmonieuse. Vous pouvez entre autre surmonter la dualité du Magicien à l'aide de son nombre complémentaire, c'est à dire en ayant des objectifs, en sachant organiser et synthétiser vos expériences et en les incarnant dans le monde, dans la société, d'une façon consciente.

Faire le lien entre deux maisons : Exemples :

Deux maisons à tendance harmonieuses : Maison 1 et maison 11 :

L'image que vous donnez est celle d'une personne qui se confronte à elle-même pour trouver des clefs, les clefs de sa destinée, afin d'aller vers une plus grande liberté. Votre force est de savoir vous intégrer dans un groupe, de faire appel à votre réseau, d'utiliser votre intelligence psychologique ou technologique pour trouver des solutions et pour vous adapter à la vie moderne. Quand vous avez trouvé vos clefs et mis en pratique vos solutions, vous vous engagez corps et âme dans la réalisation de votre être et dans l'accomplissement de votre mission de vie.

Deux maisons à tendance disharmonieuses : Maison 4 et Maison 7 :

Votre antipode, cette partie de vous que vous rejetez ou voyez en négatif, vos croyances limitantes, vos ennemis intérieurs et le défi majeur que vous devez relever pour avancer sont clairement en lien étroit avec ce qui a été transmis par vos parents et avec votre héritage généalogique. Sans doute reproduisez-vous des schémas parentaux problématiques ou alors vous vous positionnez en réaction par rapport à vos parents, d'où votre refus d'exprimer votre nombre en maison 7. Mais sans doute avez-vous choisi ces parents pour vous permettre de voir et de résoudre une difficulté karmique. Votre difficulté et votre défi principal est peut-être de transformer votre héritage en atout afin de vivre votre spécificité. Vous pouvez alors utiliser votre héritage pour réintégrer votre antipode, pour relever votre défi et pour développer votre intelligence relationnelle. Il peut y avoir un lien étroit entre couple et famille.

Maison à tendance harmonieuse et maison à tendance disharmonieuse :

Maison 2 et maison 6 :

Pour être dans la joie, ressentir du plaisir et être à l'écoute de votre corps, vous incarner dans la matière, gagner de l'argent, gérer vos richesses, utiliser votre ressource principale, optimiser vos ressources, exprimer les richesses de votre part féminine, vivre dans l'abondance, et créer votre bonheur sur Terre, il est nécessaire d'exprimer votre intelligence technique afin de vous adapter au monde de la matière, de répéter afin de développer une expertise afin de servir la vie afin de générer la bonne fortune dans votre vie, de bien gérer les questions d'hygiène et de santé, d'apprendre à gérer votre cycle traumatique et à accéder à votre cycle transformé d'amour et enfin de sortir de vos schémas répétitifs et des éventuelles blessures caractéristiques qui tournent sans arrêt et qui induisant des schémas répétitifs d'échec ou des difficultés répétitives. Plus vous travaillez sur les difficultés qui se répètent dans votre vie et plus vous pouvez vivre dans la joie et générer l'abondance dans votre vie. Vous avez la possibilité d'utiliser vos ressources et vos compétences pour dépasser vos blessures et vos schémas répétitifs d'échecs.

Maison 8 et Maison 9 :

Votre inconscient, votre quête et le trésor ce que vous recherchez sont en lien avec le monde extérieur, avec l'élargissement de vos horizons et avec votre activité professionnelle. Il peut alors être initialement difficile de trouver votre place dans le monde. Votre richesse cachée peut alors se situer dans votre activité professionnelle et dans votre capacité à explorer le monde et ses « philosophies ». Sans doute devez vous effectuer une recherche initiatique afin de découvrir vos ressources professionnelles ou de trouver votre place dans le monde. Mais lorsque vous savez les exploiter, vous pouvez être particulièrement inspiré(e) et doué(e) dans l'activité que vous exercez alors avec passion et intensité.

Nombre annuel présente dans votre DN Diamant : M12 et MA

Ce nombre se trouve à la fois dans votre maison 12 et dans votre maison annuelle. Sans doute serez-vous un peu moins présent(e) cette année ! Vous avez cette année la possibilité ou l'obligation de pardonner, de lâcher prise, de vous occuper de vos souffrances ou de vos ancêtres, de trouver la foi, d'intégrer des valeurs spirituelles, de terminer quelque chose, d'utiliser vos ressources pour tendre vers le meilleur de vous-même, d'avancer vers le but ultime de votre destinée, vers la transcendance et d'être enchanté(e).

Nombres présents trois fois :

Le nombre trois est à la fois associé au résultat d'une complémentarité entre le conscient et l'inconscient, entre l'Esprit, l'âme et le corps, à la synthèse, à la communication, au mouvement naturel et à l'action coordonnée. Il permet une mise en forme, une créativité et une intelligence relationnelle. On a alors le besoin, la possibilité et des facilités naturelles pour exprimer le nombre dans toutes ses facettes, sur tous les plans, dans un mouvement coordonné, à la fois avec une certaine autorité, une certaine maîtrise et une certaine élégance.

La présence de trois nombres peut alors être un véritable cadeau, une chance, un atout qui est exprimé avec fluidité. Il y a cependant moins de conscience que lorsqu'il y a seulement deux nombres identiques. L'harmonie est renforcée si les maisons concernées sont plutôt harmonieuses et elle est atténuée si des maisons potentiellement difficiles sont concernées.

Remarque : Un nombre présent dans trois maisons tisse un lien entre les maisons impliquées qui se coordonnent pour s'exprimer mais le nombre concerné s'exprime différemment dans chacune des maisons.

Exemple : LE NOMBRE 6 OU LES AMOUREUX EN TRIPLE.

Vous avez de nombreuses possibilités et des facilités pour :

- écouter vos vrais désirs, faire les bons choix et vous engager
- exprimer vos sentiments et votre joie
- aimer, apporter du bonheur et du plaisir à vous-même et aux autres
- utiliser votre intelligence relationnelle et artistique
- vous relier aux autres, expérimenter le lien et le couple, pour partager, être dans le service, exprimer l'harmonie, la sociabilité et la diplomatie.

Vous pouvez également accroître la richesse des Amoureux avec son nombre complémentaire (16), en :

- apprenant à vous recentrer dans votre tour et en sachant pratiquer l'introspection afin de faire des prises de conscience
- apprenant à canaliser votre énergie,
- sachant adopter une nouvelle vision des choses ou de vous-même,
- étant ouvert à l'imprévu et à la nouveauté,
- sachant utiliser les technologies modernes
- intégrant des valeurs spirituelles dans votre vie
- vous libérant de tout ce qui vous enferme
- soumettant votre relationnel, votre couple, vos aptitudes à exprimer la forme, vos désirs et votre joie à votre « Chemin vers Dieu », à votre évolution spirituelle.

Nombres présents quatre fois :

Le nombre quatre est associé aux structures de la vie, à la concrétisation dans la matière et dans l'espace. Il permet d'exprimer son autorité, son pouvoir et ses puissantes capacités d'organisation pour, symboliquement parlant, bâtir et diriger son empire.

Quatre nombres identiques vous donnent ainsi la possibilité d'exprimer ce nombre sur tous les plans, tant au niveau de la matière que de l'âme et de l'esprit. Cela indique une puissance pour exprimer le nombre mais aussi un excès qui se fait au détriment des autres nombres. Il s'agit alors d'exprimer un don sans que celui-ci s'exprime au détriment du reste de votre vie.

Les Diamants de naissance où l'on rencontre quatre, cinq voir six nombres identiques sont rares et seuls quelques nombres peuvent se retrouver quatre fois ou plus, comme les nombres 5, 6, 7, 8, 9, 10 et 11.

Cependant, une personne ayant un triplet dans son Diamant vivra une année particulière lorsqu'un nombre annuel vient compléter le triplet. L'année est alors particulièrement marquée par ce que représente le nombre et par les maisons impliquées.

Exemple : LE NOMBRE 7 EN QUARTE.

Parce que ce nombre est présent quatre fois dans votre Diamant de Naissance, vous avez sans doute une tendance excessive à :
- donner ou vous donner l'autorisation et la légitimité pour …
- préparer des expéditions, aller là où c'est nécessaire, être « en déplacement », vous mener à bon port, vous motiver, prendre des initiatives et vous mettre dans l'action pour obtenir la victoire
- trouver les moyens pour atteindre un but et être efficace
- exercer une activité professionnelle, focaliser sur votre destination ou sur la mission à accomplir et maîtriser vos énergies,
- utiliser votre intelligence technique et votre force de frappe,
- être comme « un général qui mène ses troupes au combat ».

Malgré le fait que vous pouvez être un(e) expert(e) très performant(e) en entreprise, vos excès peuvent parfois vous enfermer dans une inertie, dans des schémas répétitifs limitants, vous bloquer dans certaines parties de votre vie (privée), faire obstacle à la réalisation de votre mission de vie et à votre évolution. Vous pouvez surmonter les excès du nombre 7 à l'aide de son nombre complémentaire (15), en apprenant à gérer les pulsions de votre inconscient, à vivre une sexualité et une situation financière épanouies, à vivre vos passions sans que celles-ci vous consument, à accepter votre part d'ombre et à gérer vos ombres, à mettre votre puissant pouvoir au service de la vie et concilier vos obligations extérieures et vos passions.

Chapitre 6 : Exemples résumés d'interprétation

Exemple 1 : Marion Zimmer Bradley : Romancière américaine

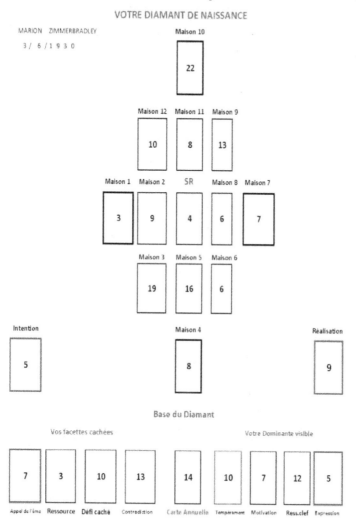

MZB est l'auteur de romans de science-fiction, de romans « fantasy » et de romans policiers. Elle a écrit le cycle d'Avalon (Les dames du lac), le cycle de la Romance de Ténébreuse et le cycle Unité. Les personnages de ses romans illustrent très bien les différentes facettes de son Diamant de Naissance.

Faisons le tour des maisons en observant les nombres présents dans plusieurs maisons. On peut soit interpréter en commençant par la base du Diamant, soit en commençant par le Diamant lui-même.

Bases du Diamant :

Intention d'incarnation de l'âme : L'âme de Marion a profondément besoin d'accéder à des enseignements et de transmettre.

Appel de l'âme : L'âme de Marion a le besoin et la capacité de se donner l'autorisation d'avancer, de prendre des initiatives, de se mettre en mouvement, d'atteindre ses objectifs et d'obtenir la victoire. Son père est cheminot et ses personnages sont toujours en mouvement. Ce nombre confère à Marion un caractère particulièrement dynamique, battant et capable de savoir où elle veut aller.

Ressource cachée et maison 1 : Initialement, Marion est une personne secrète, cachée. Les mots et les messages vivent intensément dans son intérieur avant d'émerger. Survient alors une communication fluide et élégante ainsi qu'une vive intelligence.

Défi caché et maison 12 : Comment intégrer le passé dans le présent et transformer les cycles répétitifs pour aller de l'avant vers quelque chose de nouveau ? Ce nombre est également présent dans la maison 12, maison des ancêtres, de la souffrance ou de la transcendance. Son défi caché est ainsi d'intégrer les connaissances et compétences transmises par ses ancêtres. Certains ancêtres de Marion venaient d'Ecosse et d'autres étaient des indiens d'Amérique du nord.

Contradiction : Le nombre 13 est également présent dans la maison 9, ce qui permet au nombre d'être extériorisé. MZB écrivit sous quatre noms différents en plus du sien. Le mystère, la mort, l'angoisse, la violence, la transformation, la recherche de l'identité est omniprésente dans les personnages de la Romance de Ténébreuse. Le cycle de la Romance de Ténébreuse et le cycle Unité sont basés sur une élimination totale du passé, sur une perte d'identité et sur une destruction permettant une reconstruction. Marion a souvent été tiraillée entre l'expression de ses propres pulsions et un besoin de justice et de sérénité. Ce nombre renvoie également à la culture chamanique et aux dons occultes exprimés à travers les personnages de la Romance de Ténébreuse.

Tempérament : Marion déborde de vie, d'imagination et de sensibilité. Elle a un tempérament romanesque, très attachée à la famille et au passé. Elle vibre au rythme de la musique qui est omniprésente dans ses romans. Sa fille est musicienne. Ce nombre est renforcé par le nombre 12 (nombre de même élément).

Ressource clef : Marion a une imagination reliée à l'inconscient collectif et à ses mémoires ancestrales. Elle a la capacité d'accéder au monde du rêve, du magique, du sacré et du fantastique. Les ressources clefs des personnages de la Romance de ténébreuse sont justement des dons de télépathie et différents dont certains permettant par exemple d'extraire des minéraux du sol.

Nombre d'Expression : Marion s'exprime de façon bienveillante et d'une façon très pédagogique.

Réalisation de Soi : Marion est venue sur Terre pour apporter des messages et un enseignement, pour restituer la profondeur, la sagesse, le sacré, la magie et la foi en chaque personne indépendamment de toute croyance religieuse. Elle savait très jeune ce qu'elle voulait faire et comment s'organiser pour obtenir des résultats. C'est à travers un cheminement intérieur vers sa vérité profonde et la construction d'une « cathédrale » que Marion se réalise.

Diamant :

Maison 1 : Le nombre 3 en maison 1 incite Marion à donner d'elle l'image d'une femme très cérébrale, intelligente et déterminée, mais aussi capable d'accéder à ses ressources cachées.

Maison 2 : Le nombre 9 en maison 2 permet à Marion de vivre avec peu, de s'intérioriser et de gérer la solitude. Ses personnages vivent simplement ou dans des châteaux parfois austères et sont souvent en quête de leur vérité profonde.

Maison 3 : Le nombre 19 en maison 3, maison de la communication, place l'amour au cœur de ses romans et lui donne un style clair, chaleureux et passionnant. Elle a effectué des études d'art à l'université Hardin-Simmons au Texas.

Maison 4 et 11 : Marion est née de parents stricts et souvent absents. Elle écrit pour retrouver son équilibre.

Le thème de la civilisation, le choc des cultures et la pression exercée par la civilisation sous-tendent les cycles Unités et les romans de la Romance de ténébreuse. Un nombre en maison 4 est souvent en partie rejeté car vécu comme étant difficile, excessif et vu sous son aspect perturbateur. Marion était très sensible à la destruction de cultures locales, au nom de la civilisation, comme ce fut le cas pour les Amérindiens. La présence de ce nombre en maison 4 et 11 permet de se libérer (M11) du passé (M4)

Maison 5 : Qui est Marion en profondeur ? Une femme parfois enfermée dans sa tour comme ses personnages dans la Romance de Ténébreuse. Une femme à la recherche de Dieu au-delà de toute religion. Une femme inspirée, révolutionnaire et libératrice.

Maison 6 et 8 : Le nombre 6 est présent dans la maison 6 et la maison 8. Sa quête est une quête de bonheur, de tendresse et d'harmonie. Ce sont aussi les difficultés de Marion qui a souvent eu l'impression de manquer de tendresse et d'affection. Elle compense par une boulimie d'écriture. Le désir, la joie et le couple sont également des thèmes délicats pour Marion, qui a été confrontée à des déviances sexuelles. L'amoureux en maison 6, qui concerne le travail quotidien, permet souvent d'associer le couple au travail.

Maison 7 : Le nombre 7 en Maison 7, maison de l'antipode, de ce qui est opposé à soi, de la difficulté principale et de la façon d'entrer en relation avec les autres, symbolise les difficultés que Marion avaient avec son côté masculin, avec les expéditions permanentes de son père et avec les fréquents déménagements qu'elle a vécu. Elle a beaucoup milité pour les droits de la femme.

Maison 10 : Le nombre 22 en maison 10 invite Marion à exprimer sa spécificité, ses dons et son génie, à sortir des cadres et des sentiers battus et à travailler le thème de la liberté. Ces thèmes sont très présents dans le cycle de la Romance de Ténébreuse.

Maison 12 : Le nombre 10 en maison 12 permet à Marion, grâce à son intelligence technique et à l'écriture, de transcender ses souffrances. Elle laisse à la postérité une œuvre qui a permis à de nombreuses personnes de franchir un cap.

Source de Rayonnement : C'est en bâtissant son empire, à travers une œuvre très bien structurée, que Marion rayonne.

Exemple 2 : Elodie Gossuin-Lachérie : Ex-mannequin, animatrice de télévision, créatrice de mode et femme politique française.

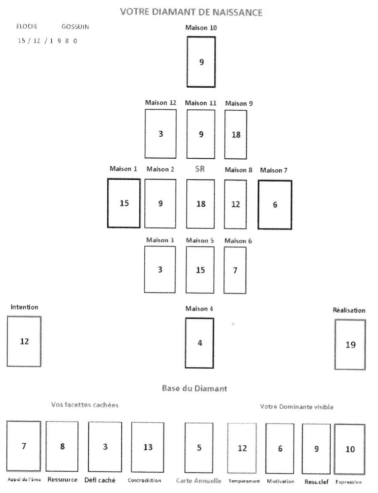

EGL, l'une des célébrités préférée des français, est une femme remarquable tant par sa beauté que par son intelligence, ses qualités de cœur, sa droiture et son engagement dans la vie pour apporter sa contribution au bien-être et au progrès de la société française. Avec la date du 15/12/1980, faisons le tour des maisons en observant les nombres présents dans plusieurs maisons.

La base du Diamant :

Intention d'incarnation : L'âme d'Elodie a besoin d'une façon ou d'une autre de prendre en compte ses mémoires ancestrales, d'élever sa conscience au-delà des réalités matérielles, de faire rêver, d'avoir la foi et d'accéder à la transcendance et à l'enchantement.

Appel de l'âme : L'âme d'Elodie a le besoin et la capacité de se motiver, d'entreprendre, d'être toujours en action, de se mettre en mouvement, d'avancer, de prendre des initiatives, d'atteindre ses objectifs, d'être efficace et d'obtenir la victoire. Ce nombre est présent deux fois dans le Diamant de Naissance d'Elodie. Elle est ainsi très souvent en déplacement et a même participé à des courses automobiles.

Ressource cachée : C'est en jouant un rôle dans la civilisation, dans une association ou dans une administration qu'Elodie exprime ses ressources cachées, c'est-à-dire un puissant sens de la justice et de l'équilibre, une intelligence relationnelle et un sens de l'organisation administrative.

Défi caché, maison 3 et 12 : Comment se faire écouter, trouver les mots justes, s'adapter, synchroniser ses pensées, ses paroles et ses actions et tout coordonner pour que la vie fonctionne? Ce nombre est présent dans la maison 3, maison de la communication et de l'adaptation, où il est particulièrement à l'aise mais aussi en maison 12. Cela donne de l'importance à ces deux maisons et aux expériences qu'elles représentent dans le Diamant d'Elodie. Cela oblige et permet ainsi à Elodie d'être curieuse de tout, d'être bien informée, de porter un soin particulier à sa communication et au fait de faire ce qu'elle dit. La maison 12 rend particulièrement sensible aux mémoires ancestrales, mais aussi aux souffrances et aux misères du mondes et des jeunes. Elle confère un besoin de rêve et d'évasion, de sens et de transcendance.

Contradiction : Le nombre 13 en contradiction confère à Elodie un besoin viscéral d'authenticité, d'aller au-delà des apparences pour accéder à l'essence des êtres et des situations, de transformation et de vivre une vie en accord avec ce qu'elle ressent comme étant sa vérité profonde. Sa contradiction provient sans doute du fait qu'Elodie a une telle richesse intérieure que les différentes parties d'elle aspirent à s'exprimer avec tout autant de puissance les unes que les autres et que malgré son besoin de détente et d'harmonie, elle doit toujours être vigilante.

Cela génère une certaine tension intérieure et une capacité à changer radicalement de cap. Elodie aurait souhaité être infirmière en pédiatrie. Elle est devenue mannequin, animatrice de télévision et de radio, conseillère régionale et gestionnaire d'une entreprise de produits de beauté. Elle n'hésite pas à s'investir dans des projets, comme elle l'a fait par exemple dans l'émission de téléréalité « La ferme » même si cela suscite des critiques, afin de récolter des fonds pour des associations d'aide aux enfants en difficultés.

Tempérament et Maison 8 : Ce nombre 12, présent dans les deux maisons, les relie entre elles. On peut ainsi dire qu'Elodie à un tempérament « maison 8 » et un tempérament de type « 12 ». Comme toute personne née en décembre, douzième mois, Elodie a le nombre 12, personnifié par « le Pendu », en maison 8, maison de la quête initiatique, de la recherche du trésor que l'on a au fond de soi. La maison 8 apporte souvent un excès ou des événements qui gênent l'expression du nombre dans cette maison. Les personnes nées sous le signe du Sagittaire sont parfois tellement engagées dans le monde extérieur ou dans leurs « affaires », ou tellement dans une agitation mentale perpétuelle qu'elles ont des difficultés pour être dans un état de sérénité sans pensées, pour accéder au sacré, à la transcendance, à la spiritualité ou aux souffrances de l'âme qui aspire à retourner à sa source divine. Cela peut se traduire par des difficultés à s'évader des obligations extérieures, à lâcher prise, à intégrer les mémoires généalogiques, à s'abandonner à l'amour inconditionnel, à avoir la foi et à être à l'écoute des aspirations secrètes. La quête du signe du Sagittaire devient alors une quête mystique, visant à réintégrer puis transcender les mémoires généalogiques ou les mémoires de « vies passées », une quête du sens de l'existence, une quête de transcendance et un engagement généreux à œuvrer pour la collectivité. La quête d'Elodie est sans doute celle d'une société sans souffrances.

Le nombre 12 rend Elodie particulièrement sensible aux souffrances et misères du monde ainsi qu'aux événements ayant un impact émotionnel collectif. Elodie a longtemps souhaité être infirmière et s'est investi corps et âme dans des associations d'aide aux enfants et personnes souffrantes. Le Pendu permet à Elodie de développer une intuition, des perceptions, une foi, un don de la prière, un lâcher-prise, une capacité à inverser ses croyances, à soulager les souffrances et les misères du monde et un amour inconditionnel hors du commun.

Maison 9 et Source de Rayonnement : Le nombre 18 est présent deux fois dans le Diamant d'Elodie. Cela met en valeur et relie entre elles les maisons qu'il occupe. Grâce à ce que représente ce nombre, Elodie déborde de vie, d'imagination et de sensibilité. Elle a un tempérament naturel, proche des gens et suscite d'emblée la sympathie. Elle est très attachée à la famille, aux enfants, au passé et au bien-être. Elle s'investit dans différentes activités caritatives, en France et à l'étranger, pour aider les enfants défavorisés. Elle rayonne par sa féminité et son naturel.

Ressource clef, maison 2, maison 10 et maison 11 : Le nombre 9 est présent quatre fois dans la Diamant de naissance d'Elodie. Ainsi, les maisons de la ressource clef, de la richesse intérieure, la maison 10 et la maison 11 sont particulièrement mises en valeur dans la vie d'Elodie. Le nombre 9 est entre autres le maître des chantiers, des structures de la vie, de l'organisation, des responsabilités et du travail. Il symbolise également les grands-parents, qui ont énormément compté dans la vie d'Elodie. L'nombre de l'Hermite, qui personnifie le nombre 9, confère à Elodie une grande droiture et un sens aigue des responsabilités, de très grosses capacités de travail, la capacité de rester simple, de faire de son mieux avec honnêteté et assiduité, de s'intégrer dans une organisation et de gérer des chantiers.

Motivation et maison 7 : Le nombre 6 en motivation et en maison 7 confère à Elodie une grande beauté, un charme puissant, beaucoup de tolérance, un sens de l'équilibre et de l'harmonie, une capacité à peser le pour et le contre, à être à l'écoute de ses vrais désirs et à faire les choix qui paraissent justes. Elodie est fortement motivée par l'expression de sa joie de vivre, de son charme, de ses sentiments, de son intelligence artistique et relationnelle afin d'apporter de la beauté et de l'harmonie là où elle est. Le nombre 6 en maison 7, maison de l'antipode, de ce qui est opposé à soi, de la difficulté principale et de la façon d'entrer en relation avec les autres symbolise à la fois les capacités d'Elodie à gérer sa beauté et son intelligence relationnelle, à cultiver la sociabilité et l'harmonie, à être en lien avec autrui tout en tenant compte de ses propres désirs et à faire des choix mais aussi les difficultés d'être belle et de refuser d'être diplomate pour ne pas froisser les sensibilités. Dans la vie d'Elodie, sa beauté et sa franchise ont ainsi été le prétexte à toutes sortes d'accusations issues de la médiocrité humaine, ce qui a obligé Elodie à lutter pour démontrer qu'elle est une femme intelligente, compétente, responsable et avec de grandes qualités de cœur.

Expression : Elodie s'exprime avec intelligence et pragmatisme. Elle aime les nombres et maîtriser l'aspect technique des dossiers et des situations.

Réalisation : Avec le nombre 19 en axe de vie, Elodie est venue sur Terre pour être un modèle de réussite, exprimer le meilleur d'elle-même, incarner la puissance lumineuse et chaleureuse du Soleil, être un témoignage vivant de la force de l'Amour, exprimer sa créativité et diriger. Elle a également donné naissance à des jumeaux, comme ceux qui sont présents sur l'nombre du Tarot qui représente le nombre 19.

Maison 1 et maison 5 : Le nombre 15 en maison 1 confère à Elodie une personnalité magnétique, intense, énergique, intrépide, audacieuse, lucide, qui a un puissant pouvoir de séduction et une capacité à maîtriser le monde de la matière et de l'argent. Elle donne l'image d'une femme ayant un fort pouvoir personnel. Elle a conscience du côté obscur de la nature humaine et du saboteur qui existe en chaque personne mais grâce au nombre 6 en maison 7, sa lucidité est exprimée avec tact, tolérance et intelligence relationnelle.

Qui est Elodie en profondeur ? Le nombre 15, qui est le Maître de la matière mais aussi des forges, fait d'Elodie une femme passionnée et engagée. Elle sait tenir compte de tous les paramètres d'une situation et surtout de ceux qui sont occultés, car elle a particulièrement conscience qu'il y a un envers à chaque décor et des rapports de pouvoir dans toute situation. Elle sait transcender ses peurs et ses angoisses, maîtriser son énergie, ses pulsions et ses passions, se fier à son flair et à son instinct, faire preuve d'audace et de combativité, braver le danger, briser tout ce qui tente de l'enchainer, faire preuve d'une grande intelligence stratégique et lutter avec détermination pour atteindre ses objectifs et maîtriser le monde de la matière. Elodie est une femme qui exprime toute la force du féminin et qui met son pouvoir, sa combativité et sa lucidité au service de la vie.

Maison 4 : L'Empereur en maison 4 a permis à Elodie de grandir dans une famille très soudée et structurée. Elle y a acquis un esprit logique et organisé, des capacités pour gérer le monde de la matière, pour prendre sa place et une conscience de ce qui est nécessaire pour bâtir un empire. Le nombre en maison 4 ayant souvent une facette difficile, Elodie est sans doute très sensible au côté abusif que peuvent parfois avoir l'autorité masculine, le pouvoir et les structures.

Maison 6 : Dans le Diamant de naissance d'Elodie, le nombre 7 est présent en appel de l'âme et en maison 6, maison de l'intelligence technique, de la santé et des difficultés récurrentes qui surviennent lorsque l'on est « trop dans le mental » et que l'on réfléchit trop. L'âme d'Elodie est ainsi attirée par la santé, les sciences, les déplacements et l'organisation d'événements. La facette difficile de cette maison s'exprime sans doute chez Elodie par une difficulté récurrente à gérer les nombreux projets qui la passionnent tout en consacrant du temps à sa vie privée, comme beaucoup de femmes actives.

Maison 10 : L'Hermite en maison 10 invite Elodie à la simplicité, à cheminer pour trouver et vivre sa vérité profonde, à s'isoler, et s'intérioriser, à se poser les bonnes questions, à gérer des chantiers et des projets à long terme, à maîtriser le temps, à expérimenter et à faire des recherches, à éclairer le monde de sa lumière, à dispenser une sagesse et à travailler sur les structures, au sein d'une structure ou à construire une œuvre. Cette position signe l'engagement d'Elodie comme conseillère régionale de Picardie. La présence d'un même nombre en maison deux et en maison dix permet d'utiliser toute sa richesse personnelle pour évoluer, faire carrière et se réaliser.

Le Diamant de Naissance d'Elodie est révélateur d'une règle très importante. Le jour officiel commence à minuit mais le jour terrestre commence au lever du Soleil. Une personne née entre minuit et le lever du Soleil, qui se lève vers 5-7h00 du matin, est ainsi très marquée par la vibration numérologique de la journée d'avant. Il est alors essentiel de tenir compte du Diamant de Naissance du jour d'avant, qui apporte un éclairage complémentaire indispensable. Il y a alors un Diamant sous-jacent, derrière le Diamant du jour de naissance officiel, où jusqu'à 16 maisons peuvent changer. Voyons cela !

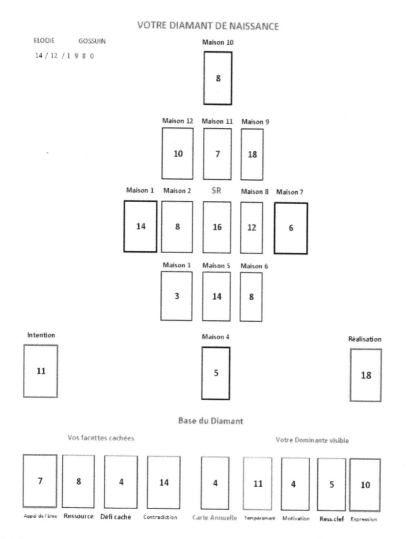

Maison 1, Maison 5 et Contradiction : Un même nombre en maison 1 et en maison 5 prédispose à paraitre tel que l'on est profondément. Quand ce même nombre se retrouve en contradiction, cela génère, du moins initialement, quelques difficultés à gérer son image, à prendre conscience de qui l'on est vraiment et de ce que l'on veut profondément. La présence de trois nombres permet cependant de générer un mouvement et une compréhension qui permettent de s'adapter.

153

Le nombre 14 présent trois fois génère chez Elodie le besoin et les capacités de passer d'un état à un autre, de se connecter avec les personnes et les informations, de communiquer avec les outils modernes de communication, de voir chaque être humain comme un membre de l'humanité au-delà de toute «forme extérieure», de tempérer et se libérer de toute dépendance, d'utiliser une intelligence psychologique ou technologique pour trouver des solutions, de promouvoir les valeurs humaines, de travailler en groupe et en réseau, de se relier aux forces de progrès présentes dans l'univers et pour apporter de l'espoir. Le nombre 14 est personnifié par la Tempérance ou l'Ange, qui a conscience qu'il existe, au-delà de la matière, un monde et un état d'esprit où chacun peut exprimer sa spécificité et vivre libre et heureux.

Maison 2, maison 6 et maison 10 : Le nombre 8 relie les maisons de la richesse intérieure, de l'intelligence technique et du chemin de vie. La présence du nombre 8 en maison 6 prédispose à être très souvent en train de penser à ce qui est juste et à ce qui parait injuste, ce qui peut générer quelques difficultés. La présence de trois nombres identiques permet de positiver et d'exprimer le meilleur du nombre. Dans ce cas, le nombre 8 est le nombre complémentaire du nombre 14. Cela fait de ces deux nombres une composante dominante chez Elodie. Le nombre 8 confère à Elodie un besoin puissant et des capacités pour gérer l'information et les données administratives, se dégager de tout ce qui est pesant, être en harmonie avec les lois cosmiques et les lois des hommes, être juste ou voir que les choses sont justes, accepter et assumer ses responsabilités, voir les différentes facettes d'une situation, équilibrer les dualités, générer la vérité, l'ordre et la justice et trancher, perpétuer l'intérêt du bien publique grâce à des règles, comprendre les règles et le fonctionnement de la civilisation, intégrer une organisation et participer à la civilisation.

Ressource clef et Maison 4 : Le nombre 5 cherche à donner du sens, à relier des valeurs célestes avec la vie sur Terre, à enseigner, à protéger et à bénir. Il relie ici les deux maisons de l'héritage familial et de la ressource clef. Il est personnifié dans le tarot de Marseille par « le Grand-Prêtre », qui symbolise le prof, l'expert ou encore le médecin du corps et de l'âme. Les études de médecine effectuées par Elodie dans sa jeunesse et les valeurs transmises par sa famille sont en lien avec ce nombre.

Maison 11 : Le nombre 7 est ici présent en appel de l'âme et dans la maison 11 des solutions obligatoires alors qu'il était présent, à la date du 15/12/1980, en appel de l'âme et dans la maison 6 de l'intelligence technique et des difficultés générées par le mental. Ce nombre indique que les obligations et les moyens d'Elodie pour progresser sont en lien avec une nécessité de se donner l'autorisation de vivre ce qu'elle a envie de vivre, de se fixer des objectifs puis de se donner les moyens de les atteindre, d'agir pour obtenir la victoire, de se déplacer autant que nécessaire, d'être symboliquement un général qui mène ses troupes au combat et de travailler dans le monde de l'entreprise.

Maison 12 : Le nombre 10 en maison 12 indique que l'objectif de vie à long terme, le moyen d'accéder à la transcendance et ce que l'on laisse à la postérité est lié à une capacité de comprendre les mécanismes et les rouages de la vie, d'innover et de se sortir des schémas répétitifs de façon à vivre sa propre vie, de faire évoluer l'existant ou d'inventer du neuf à partir de l'ancien, d'expérimenter les outils et les techniques permettant de faire avancer la vie, d'utiliser son intelligence et son sens commercial, de savoir tenter sa chance, de prendre les choses en mains, de savoir redémarrer autrement quand c'est nécessaire et d'agir pour que Dame Fortune fasse tourner la roue de la vie.

Source de rayonnement : Le nombre 16 en source de rayonnement indique qu'Elodie parvient à rayonner quand elle sort les personnes de leurs enfermements, quand elle leur fait faire des prises de conscience, quand elle leur permet d'adopter une nouvelle vision des choses, quand elle déstructure pour reconstruire autrement, quand elle bouleverse ce qui doit l'être pour apporter un progrès et quand elle utilise les technologies modernes et les médias.

Défi caché : Le nombre 4 en défi caché confère volonté, autorité et puissance de façon à trouver sa place et bâtir puis gérer son empire. En défi caché, l'empereur pose la difficulté de prendre conscience de ses capacités et de trouver le lieu ou l'activité permettant de les exprimer.

Intention et Tempérament : Le nombre 11 confère ici à Elodie la capacité à être bien centrée dans son cœur et dans son corps, à avoir confiance en elle, à faire preuve de courage et d'une capacité à lutter jusqu'à la victoire. Elle est venue sur Terre pour se maîtriser, pour maîtriser sa vie et pour vivre selon son cœur.

Motivation : Le nombre 4 confère à Elodie un fort besoin de bâtir son propre empire ou de participer activement à un empire existant.

Réalisation de soi : Le nombre 18, qui est présent trois fois dans le Diamant de Naissance à la date du 15/15/1980, est ici en nombre de réalisation de soi ou axe de vie. Cela indique que les possibilités de réalisation d'Elodie sont en lien avec la vie et le bien-être, avec une capacité à écouter les préoccupations et angoisses d'autrui, avec la capacité à faire rêver ou à aider autrui à réaliser leurs rêves, avec l'aide apportée aux enfants, avec les nourritures et les valeurs refuges permettant de se ressourcer et avec des relations émotionnelles avec un public.

DN DE QUELQUES CELEBRITES

Vous pouvez, si vous le souhaitez, effectuer une recherche biographique et voir comment chaque personne exprime son Diamant de Naissance.

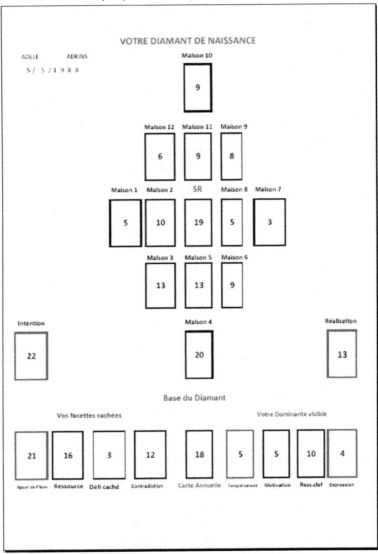

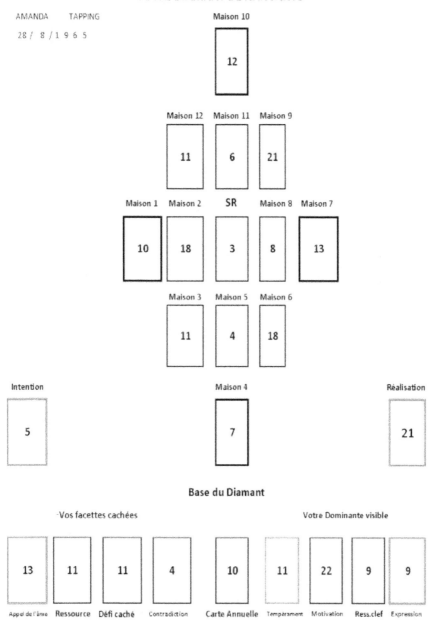

AMANDA   TAPPING

28 / 8 / 1 9 6 5

Maison 10

12

Maison 12   Maison 11   Maison 9

11   6   21

Maison 1   Maison 2   SR   Maison 8   Maison 7

10   18   3   8   13

Maison 3   Maison 5   Maison 6

11   4   18

Intention

5

Maison 4

7

Réalisation

21

Base du Diamant

Vos facettes cachées

Votre Dominante visible

13	11	11	4	10	11	22	9	9
Appel de l'âme	Ressource	Défi caché	Contradiction	Carte Annuelle	Tempérament	Motivation	Ress.clef	Expression

157

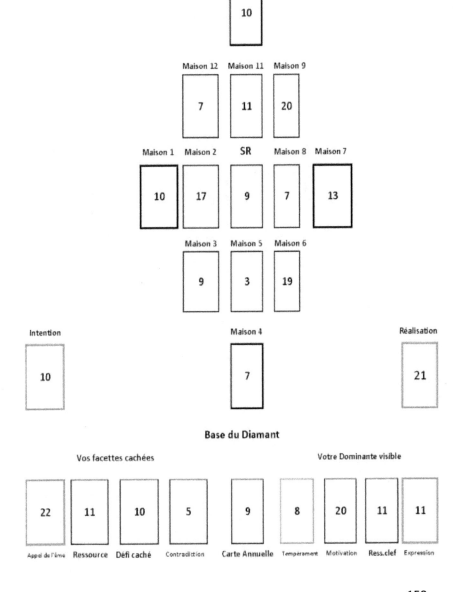

NIKOLA   TESLA

10 / 7 / 1 8 5 6

Maison 10

10

Maison 12   Maison 11   Maison 9

7   11   20

Maison 1   Maison 2   SR   Maison 8   Maison 7

10   17   9   7   13

Maison 3   Maison 5   Maison 6

9   3   19

Intention

10

Maison 4

7

Réalisation

21

Base du Diamant

Vos facettes cachées

Votre Dominante visible

| 22 | 11 | 10 | 5 | 9 | 8 | 20 | 11 | 11 |

Appel de l'âme   Ressource   Défi caché   Contradiction   Carte Annuelle   Tempérament   Motivation   Ress.clef   Expression

VOTRE DIAMANT DE NAISSANCE

STEEVE   JOBS

24 / 2 / 1 9 5 5

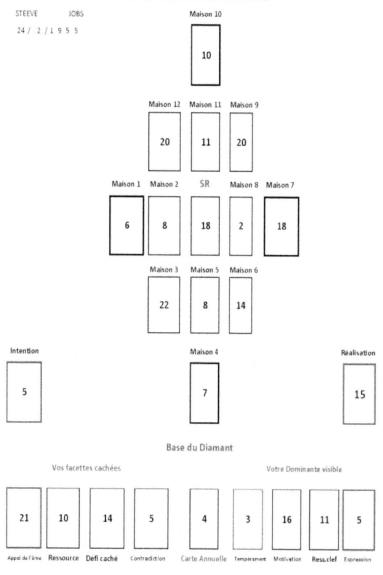

Maison 10

10

Maison 12   Maison 11   Maison 9

20   11   20

Maison 1   Maison 2   SR   Maison 8   Maison 7

6   8   18   2   18

Maison 3   Maison 5   Maison 6

22   8   14

Intention   Maison 4   Réalisation

5   7   15

Base du Diamant

Vos facettes cachées   Votre Dominante visible

21   10   14   5   4   3   16   11   5

Appel de l'âme   Ressource   Défi caché   Contradiction   Carte Annuelle   Tempérament   Motivation   Ress.clef   Expression

Chapitre 7 : Autres perspectives du Diamant de Naissance
Les origines spirituelles du nom « Diamant de Naissance.

Ce texte décrit les bases du développement spirituel. Il parle de la Source, de, l'expérience de l'incarnation dans le monde de la matière et le chemin du retour vers la « Lumière ».

Avant de s'incarner dans la matière, l'être humain vivait dans des mondes spirituels en tant qu'Etre Humain Spirituel bipolaire, c'est-à-dire à la fois masculin et féminin, uni à sa Source Créatrice. Il y avait alors, dans un même corps, de nature spirituel, un Homme et une Femme. Certains Etres Humains Bipolaires, lorsqu'ils se sont approchés des mondes matériels, ont fait le choix de s'incarner et d'expérimenter les mondes de la matière. Dès lors, les conséquences de ces choix sont une scission en deux des pôles masculins et féminins dans deux corps séparés, une fragmentation de l'âme en plein de morceaux autonomes et une déconnection quasi-totale avec la Source Créatrice de tout.

Deux symboles antiques de La Source en Chine et au Mexique

Chez la majorité des habitants de la planète Terre, la conscience de cette réalité est encore voilée. Mais il y a en chaque être humain une partie de lui qui sent cette réalité, plus ou moins consciemment. Et tout comme les saumons de l'atlantique sont conduits par un instinct à retourner vers leur source, une partie de l'âme humaine aspire à se réunifier et à se reconnecter à la Source qui l'a créée. Le chemin du retour passe ainsi par :
- un rassemblement des différentes parties de l'âme, en les vivant en conscience et en les maîtrisant. L'âme grandit par la vie et l'action et elle s'épanouit par le silence et la méditation.
- un rééquilibrage intérieur entre les énergies masculines et féminines
- le fait de conformer sa vie avec les lois spirituelles, en consacrant une partie de sa vie au développement personnel, afin de retrouver l'unité avec la Source créatrice.
- une reconnexion avec la Source qui se fait grâce à la Reine des forces d'âme, le corps spirituel, fait de lumière et d'amour, qui a une forme de Diamant et qui est localisée au centre du cœur, d'où le nom « Diamant de Naissance ». Accéder à son Diamant passe ainsi par l'expérimentation des différentes maisons du Diamant et des nombres qui s'y trouvent.

Numérologie et Diamant de Naissance :

Si vous êtes passionné(e) par la numérologie, vous reconnaitrez, dans le Diamant de Naissance, les différentes maisons issues de la numérologie.

- Le chemin de vie (maison 10) est la somme de la date de naissance.
- L'appel de l'âme est la somme des voyelles du nom et prénom.
- Le tempérament est la somme de la richesse intérieure et de la richesse extérieure (Jour+mois) + (mois+année).
- Le nombre d'expression : somme des voyelles +consonnes du prénom et nom.
- L'axe de vie est la somme du chemin de vie et du nombre d'expression.

Certains nombres issus de la numérologie ne figurent volontairement pas dans le Diamant mais vous pouvez faire appel à eux si cela vous parait judicieux.

Nombre d'hérédité : Il décrit votre bagage héréditaire. Il se calcule à partir des lettres de votre nom de famille. Il peut compléter la maison 4.

Nombre d'évolution personnelle : Il décrit une évolution personnelle. Il se calcule avec les lettres de votre prénom, converties en nombre, et réduit à un nombre entre 1 et 9. Il peut compléter les maisons 10 et 12.

Nombre de réalisation extérieure : Il se calcule à partir des consonnes de votre nom et prénom. Il peut compléter les maisons 9, 10 et l'axe de vie.

Les 5 défis et les 5 ressources en numérologie : Les ressources proviennent de l'addition de deux des éléments parmi le jour, le mois et l'année de naissance, soit en réduisant si le total est supérieur à 22, soit en ne réduisant pas. Les défis proviennent de la soustraction de deux des éléments parmi le jour, le mois et l'année de naissance, soit en réduisant si le total est supérieur à 22, soit en ne réduisant pas. On identifie 5 nombres ressources et 5 nombres défis. Parmi ces 5, deux figurent dans le DN mais on peut aussi traiter les 3 autres en tant que ressources cachées supplémentaires ou défis cachés supplémentaires. Exemple : 11/01/1967. Ressources : 1967+1=1968=24=6. 23+1=24=6.5+1=6 (maison 3 du DN). 11+1=12 (maison 2 du DN). 11+5=16. 23+11=34=7. Défis : 1967-1=1966=22. 23-1=22. 5-1=4 (Maison 7 du DN). 11-1=10. 11-5=6 (défi caché du DN). 23-11=12.

Les 2 super cartes annuelles : Vous pouvez expérimenter en additionnant le nombre d'expression, la maison 10 et l'année universelle. Une autre option est d'additionner votre prénom + les noms de familles de naissance vos 4 grands-parents + l'année universelle en cours.

Diamant de Naissance d'un couple :

En faisant le total, pour chaque maison, du nombre de Madame et du nombre de Monsieur, vous pouvez construire Diamant de Naissance du couple. Cela concerne l'expression externe du couple. En soustrayant les deux maisons, vous découvrirez les relations internes du couple. La maison 1 du couple devient alors l'image et la force que dégage le couple, la maison 2 la richesse du couple, la maison 6 l'intelligence technique du couple et sa difficulté récurrente, la maison 7 la façon dont le couple entre en relation avec autrui et sa difficulté majeure et ainsi de suite. Vous pouvez explorer ! C'est surprenant ! Le logiciel pro du Diamant de Naissance permet de faire des DN de couples.

Méditation et Diamant de Naissance :

Dans l'introduction de ce livre, nous avons décrit le coaching comme un processus pour obtenir des résultats dans la vie concrète et comment faire appel au Diamant de Naissance comme outil de coaching. Depuis la nuit des temps, les images symboliques évoquant des informations spécifiques ont été utilisées comme des supports de visualisation et de méditation pour déclencher un certain état d'être.

La méditation est un processus qui consiste à :

- vous asseoir confortablement, fermer les yeux et à détendre tous les muscles de votre corps puis à respirer naturellement et profondément
- formuler l'intention de trouver votre être profond
- à rechercher un état de calme joyeux et vibrant, libre de tout désir, de toute pensée et de toute crainte, nommé sentiment d'âme.
- à observer intensément ce qui se passe en vous, en ignorant toute pensée ou toute image qui traverse votre cerveau, en les observant et en les laissant poursuivre leur chemin.
- à voir que vous êtes la présence et surtout la conscience et à être là en tant que particule de conscience issue de la Source de toute vie.
- à revenir à votre état normal quand l'état joyeux et vibrant se dissipe.

Cela vous permet de contacter votre être profond et de générer un état de bien-être. Vous pouvez ainsi expérimenter, en étant dans un état de méditation, la visualisation d'un nombre de votre Diamant de Naissance, avec l'intention de ressentir l'énergie du nombre, seule ou en lien avec la maison concernée. Vous pouvez ensuite utiliser l'énergie du nombre pour générer un certain état d'être où pour vous soutenir au quotidien dans l'atteinte de vos objectifs. Là encore, vous pouvez explorer.

Astrologie et Diamant de Naissance :

Les nombres des éléments : Les signes astrologiques et leurs maisons sont organisés selon les quatre éléments : Feu, Terre, Air et Eau. Le Feu symbolise l'activité, la terre l'organisation concrète dans le corps et dans la matière, l'eau la vie émotionnelle et intime tandis que l'Air symbolise la communication et les relations avec autrui. Vous pouvez analyser les nombres présents dans les maisons de feu (1,5 et 9) pour obtenir des informations sur l'activité. Vous pouvez aussi additionner ces 3 nombres pour obtenir un nombre qui caractérise l'activité de la personne et sa façon de gérer son feu. Vous pouvez faire de même pour les autres éléments.

Les maisons dérivées : Il s'agit là d'une technique astrologique vieille de deux mille ans. Les maisons astrologiques et les maisons du Diamant de Naissance sont organisées d'une telle façon qu'elles permettent de classer tout ce qui est dans l'une ou l'autre des différentes maisons. On appelle significateur un symbole de quelque chose. Chaque maison est ainsi associée à un ensemble de significateurs. Le couple est représenté par la maison 7. L'argent est représenté par la maison 2. Avec le système de maisons dérivées, la maison numéro 2 à partir de la maison 7 (maison 8) devient l'argent du couple et la maison 3 (qui symbolise la communication) à partir de la maison 7 (maison 9) symbolise la communication du couple. Cela mérite d'être expérimenté.

Les degrés des positions planétaires : Les planètes circulent autour du Soleil. Le début de ce cycle est défini par le lieu où se produit l'équinoxe du printemps, à zéro degré du Bélier. La bande circulaire est ensuite divisée en 12 étapes nommés signes astrologiques. Chaque signe occupe un espace de 30 degrés (360°/12 signes). Vue de la Terre, une planète se trouve donc à un degré précis d'un signe. On peut comparer la position d'une planète en signes aux aiguilles des heures sur une horloge. Comme la Terre tourne sur elle-même, les planètes semblent se déplacer à travers le ciel. Elles semblent occuper des espaces différents tout au long de la journée. Nous avons un deuxième cycle qui débute au lever du Soleil et à nouveau 12 espaces nommés « maisons » ou « secteurs ». On parle alors de planètes en secteurs et cela peut être comparé à l'aiguille des minutes sur une horloge. Il peut être particulièrement intéressant de considérer les degrés des positions planétaires comme l'aiguille de secondes et observer puis prendre en compte les liens entre ce que symbolise chaque planète et ce que symbolise le degré où elle se trouve suivant la symbolique des nombres décrite précédemment. Nous avons alors l'aiguille des secondes sur notre horloge. Vous êtes libre d'expérimenter.

Etudes proposées en Développement Personnel

Outils de conscience

ETUDE – CONSULTATION : Votre Diamant de Naissance

En tant qu'être humain créé par la Source, vous êtes un Diamant qui ne demande qu'à briller ! Pour cela, il est nécessaire de polir, c'est à dire de prendre conscience, puis d'exprimer chacune de ses facettes ! Véritable outil de connaissance de soi, ce « Thème Astro-numérologique ou Numéro-psychologique », basé sur votre nom+prénom+date de naissance, vous révèle dans toutes vos dimensions, à travers 24 facettes de votre être. Etude de 80 pages envoyée en format PDF par mail et que vous pouvez ensuite imprimer.

Votre Thème Astral Approfondi

Votre thème de naissance représente la structure et le cheminement de votre âme, mais aussi ce qu'elle a choisi de rencontrer comme expériences. Axé sur la dimension psychologique et karmique, ce thème astral révèle votre structure, vos fonctionnements, vos atouts, vos contradictions et vos possibilités d'expression. Il vous aide à comprendre certaines difficultés et schémas de vie répétitifs, afin de les résoudre. Il y a environ 120 pages. Il existe en version électronique en format PDF que vous pouvez imprimer.

Votre Thème annuel

Chaque année (à la date de votre anniversaire), un nouveau thème se dessine pour vous...c'est votre Révolution solaire (nouvel ascendant, nouvelles configurations planétaires). Cela décrit le paysage de votre année, avec ses propositions, ses potentialités à exprimer, ses difficultés à transcender. Cette étude offre un éclairage sur votre année. Elle vous aide à l'optimiser et à lui donner du sens. Environs 15 pages en format PDF.

NOUVEAU ! Depuis AOUT 2017 ... LOGICIEL DIAMANT DE NAISSANCE...

Nous avons créé avec mon ami Jacques Boit un logiciel professionnel qui permet de calculer le Diamant de Naissance pour une personne mais aussi pour un couple.
Ce logiciel permet une interprétation synthétique avec une présentation visuelle classique ou astrologique, avec les nombres, le Tarot de Marseille ou LES RUNES en prenant en compte le fait qu'il y a 24 runes ce qui apporte de nouvelles perspectives...
Il est disponible sur mon site sur le lien ci-dessous :
http://coaching-evolution.net/boutique/index.php?route=product/category&path=46
et sur le lien du site de Jacques : http://www.jacques-boit.fr/diamant-de-naissance/

Vous pouvez expérimenter le DN lors d'un atelier d'un week-end intitulé :
« Tarot Italien et Diamant de Naissance® »

Pour vous renseigner... jacksoneric@neuf.fr
https://www.coaching-evolution.net   06 62 51 32 26

9 791094 871003